M. Gloria Tommasini

nuovo
PROGETTO ITALIANO

3

Corso multimediale
di lingua e civiltà italiana

livello intermedio - avanzato

B2-C1 QUADRO EUROPEO
DI RIFERIMENTO

Guida per l'insegnante

Maria Gloria Tommasini è nata e vive in Umbria. Si è laureata in Lingue e Letterature Straniere Moderne e Contemporanee presso la facoltà di Lettere e Filosofia dell'Università di Perugia e in seguito si è specializzata nell'insegnamento dell'italiano L2 e LS presso l'Università per Stranieri di Perugia.

Ha vissuto alcuni anni in Germania, insegnando nei corsi di italiano LS della VHS e dell'Istituto Italiano di Cultura di Stoccarda. Ha partecipato alla realizzazione del corso *Allegro*, come autrice delle tre guide per l'insegnante e coautrice di *Allegro 2*. Ha inoltre svolto attività di formazione rivolta agli insegnanti di italiano LS.

Per la casa editrice Edilingua ha contribuito alla revisione di *Nuovo Progetto italiano* e alla stesura della *Guida per l'insegnante* ad esso relativa. Al momento insegna presso l'Università per Stranieri di Perugia.

Alle mie dolci nipotine
Celeste e Viola

© **Copyright edizioni Edilingua**
Sede legale
Via Paolo Emilio, 28 00192 Roma
info@edilingua.it
www.edilingua.it

Deposito e centro di produzione
Via Moroianni, 65 12133 Atene
Tel. +30 210 57.33.900
Fax +30 210 57.58.903

I edizione: marzo 2009
ISBN: 978-960-693-009-6
Redazione: M. Dominici, L. Piccolo
Impaginazione: E. Setta (Edilingua)
Illustrazioni: S. Scurlis (Edilingua)

Ringraziamo sin da ora i lettori e i colleghi che volessero farci pervenire
eventuali suggerimenti, segnalazioni e commenti.
(da inviare a redazione@edilingua.it)

Indice

Premessa

Gentile collega,

nell'accompagnare gli studenti attraverso i vari livelli di conoscenza della lingua italiana dall'A1 di Nuovo Progetto Italiano 1 ai B1-C2 del terzo volume, si è sempre cercato di tenere presenti le esigenze del docente di attingere a strumenti che possano offrire consigli, spiegazioni, materiali alternativi per ampliare, rinforzare, estendere quanto proposto dal Libro dello studente. Con questo spirito sono state concepite le guide per l'insegnante relative a tutti e tre i volumi di Nuovo Progetto Italiano.

Arrivati alla terza guida e di fronte ad un Libro dello studente non più strutturato come i precedenti (32 unità e non più 11, molteplici spunti per la riflessione grammaticale, maggiore attenzione al lessico e all'ascolto) si è voluto differenziarla dalle altre strutturandola in maniera "agile" anche pensando ad una auspicabile riduzione dell'intervento dell'insegnante nel trattare le unità di Nuovo Progetto Italiano 3.

Siamo ormai in classi di studenti che hanno raggiunto un grado di autonomia tale per cui il ruolo del docente è veramente quello del facilitatore linguistico che propone e supporta le attività di vario tipo, lasciando ai discenti ampio spazio e libertà di azione e riflessione.

Questo naturalmente non esclude la possibilità di ricorrere a materiali che alimentino e sostengano la motivazione della classe ed ecco quindi che l'offerta della guida rappresenta di fatto un quaderno supplementare con proposte di attività relative alle varie sezioni delle unità del Libro dello studente e alle varie abilità in esse esercitate.

Analiticamente, cinque sono gli "appuntamenti" fissi di ogni unità della guida:

- **Lavoriamo sul lessico**: in questo paragrafo viene proposta un'attività corredata da una scheda da fotocopiare, volta al fissaggio degli elementi lessicali nuovi o di maggiore complessità, oppure propri dell'argomento presentato nella sezione "Comprensione del testo". L'attività in genere deve essere svolta in coppie o in gruppi e, per facilitare il riscontro in plenum, è sempre seguita dalla sua soluzione.

- **La grammatica in pillole**: qui si è cercato di evidenziare gli argomenti della riflessione grammaticale proposti in uno o due punti dell'unità e spesso si suggerisce una breve attività che offra lo spunto per la consultazione dell'Appendice Grammaticale presente nel Quaderno degli Esercizi, in modo da usare fruttuosamente tutti gli strumenti a disposizione dello studente e dell'insegnante.

- **Ascoltiamo**: come per il lessico, anche per l'ascolto viene proposta un'attività corredata da una scheda da fotocopiare. Lo scopo è quello di estendere e approfondire la comprensione del testo ascoltato, riflettendo sul significato di alcune parole, espressioni e modi di dire in esso presenti che per la loro complessità o per la velocità e naturalezza del parlato potrebbero rimanere oscuri e incomprensibili. In alcuni casi sono presenti dei veri e propri test di comprensione simili a quelli proposti negli esami di certificazione della lingua italiana. Per il riscontro in plenum è sempre presente la soluzione dell'attività.

- **La produzione orale**: il suggerimento offerto in questo punto vuole essere un supporto per abbattere la resistenza degli studenti a parlare. Dopo una serie di attività e role-play incentrati sul dialogo, si propone ancora un'attività che invita i discenti al libero reimpiego di quanto letto, ascoltato e discusso, spesso in versione ludica o comunque in una forma che cerca di abbattere l'ansia del dover parlare.

- **La riflessione personale**: dopo le riflessioni e le discussioni di classe, la proposta è quella di lasciare agli studenti uno spazio per risfogliare l'unità, ripensare agli argomenti proposti e trasferirli dal generico al personale. È un momento di introspezione in cui si ha l'occasione di mettere se stessi, i propri gusti, le proprie opinioni ed esperienze al centro della riflessione, sempre in riferimento all'argomento principale dell'unità.

Al termine di ogni unità sono stampate le **soluzioni** relative alle varie attività proposte nel Libro dello studente.

Nella speranza che il lavoro svolto possa alleggerire il Suo faticoso ma entusiasmante lavoro di insegnante, Le auguro un percorso ricco di scoperte e soddisfazioni tra le pagine di Nuovo Progetto Italiano 3.

L'autrice

Lavoriamo sul lessico

- Fotocopiate la scheda numero 1 a pagina 8 e consegnatene una copia ad ogni coppia di studenti. Spiegate loro che le parole anagrammate sono sinonimi di quelle scritte in basso alla rinfusa. Invitateli quindi a riscriverle correttamente, inserendole al posto dei puntini. Se volete, potete trasformare questa attività in una gara a tempo.

Soluzione: pensare/ragionare, ansioso/agitato, tecnica/metodo, memorizzare/imparare parola per parola, distratto/deconcentrato, ripassare/ripetere, studio/apprendimento, superare/essere promosso, esame/prova.

Ascoltiamo

- Dopo aver svolto le attività indicate al punto D, potete approfondire la comprensione dell'ascolto utilizzando la scheda numero 2 a pagina 9.

- Fotocopiate la scheda e distribuitene una copia ad ogni studente. Il compito consiste nell'associare le parole alle immagini della sezione "Visualizzando" e nel cercare di spiegare le espressioni indicate nella sezione "Spiegando".

Soluzioni: a-1, b-4, c-3, d-2

7.12 del 16 : l'orario e la data dell'esame
Marlene 17: lo pseudonimo della ragazza che invia il messaggio
il mio raga: il mio ragazzo
Montale: poeta italiano del '900

La produzione orale

- Dopo aver moderato la conversazione scaturita dai quesiti proposti nella sezione G, potete svolgere la seguente attività: ogni studente immagina di essere un giornalista, il cui compito è quello di intervistare uno studente ponendo una serie di domande riguardanti gli aspetti positivi e negativi dello studio, del sistema scolastico, del fatto di essere studente, dei metodi adottati per ottenere i migliori risultati e altre domande a scelta. A tale scopo è necessario predisporre una lista di almeno 6 o 7 domande. Lasciate agli studenti un po' di tempo per pensare e per scrivere i quesiti che ritengono più interessanti, quindi invitateli a lavorare con un compagno. A turno, ognuno impersona il ruolo del giornalista e dello studente, ponendo le domande e rispondendo ai quesiti.

La riflessione personale

- Al termine dell'unità, potete facilitare il trasferimento dal generico alla sfera personale di quanto discusso e analizzato del corso dell'unità svolgendo la seguente attività: fotocopiate la scheda numero 4 a pagina 10 e consegnatene una copia ad ogni studente.

Il compito consiste nel compilare la scheda tenendo presente il proprio atteggiamento rispetto a quanto indicato. Al termine, invitate gli studenti a riferire i contenuti principali della loro riflessione dando luogo ad una discussione in plenum.

CHIAVI DEL LIBRO DELLO STUDENTE

Negli esercizi di completamento si danno come soluzione le parole che sono state tolte dal testo originale. In alcuni casi, vengono date risposte alternative che in un esame verrebbero ugualmente accettate perché corrette.

CHIAVI UNITÀ 1

A1 1. c, 2. a, 3. c, 4. a, 5. d
B1 *mandare all'aria*: a; *a vicenda*: a; *staccare*: b; *in linea di massima*: b; *su tutta la linea*: c
C1 conferenza, candidato, provino, bocciare, preside, preparato
2 1. riduzione, 2. blocco, 3. precisazione, 4. sostegno, 5. precedente
D1 1, 3, 5, 6
E1 1. mandare giù, 2. mandato in bestia, 3. mandato a quel paese, 4. mandarlo a rotoli, 5. mandare più in onda
2 1. b, 2. c, 3. a, 4. d, 5. a, 6. a, 7. b, 8. d, 9. c, 10. b, 11. a, 12. c
F2 psicologo, cardiologo, albergo, parco, classico, simpatici, catalogo, dialoghi

Scheda numero 1
Unità 1 – Sezione C

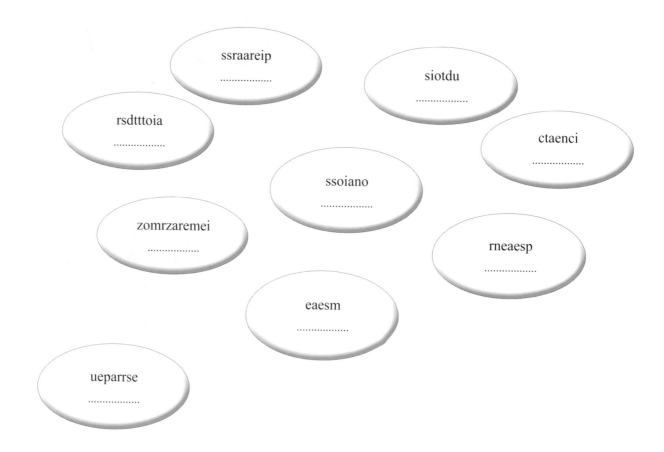

prova

essere promosso

apprendimento

agitato

ripetere

deconcentrato

metodo

imparare parola per parola

ragionare

Scheda numero 2
Unità 1 – Sezione D

Visualizzando......

1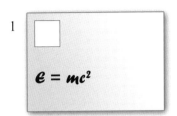

2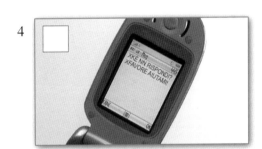

3

4

a) formule, b) sms, c) il forum, d) traccia svolta

Spiegando...

7.12 del 16   ....

Marlene 17   ....

il mio raga   ....

Montale   ....

Scheda numero 3
La riflessione personale

Gli esami più importanti della mia vita:

....

....

I miei metodi preferiti per prepararmi ad un esame:

....

....

Le strategie "poco corrette" che ho utilizzato:

....

....

I miei voti migliori:

....

....

I miei voti peggiori:

....

....

Le mie esperienze scolastiche positive:

....

....

Le mie esperienze scolastiche negative:

....

....

Cosa consiglio agli studenti:

....

....

Ascoltiamo

- Dopo aver svolto le attività indicate al punto B, potete approfondire la comprensione dell'ascolto utilizzando la scheda numero 1 a pagina 12.

- Fotocopiate la scheda e distribuitene una copia ad ogni studente. Il compito consiste nell'associare le parole alle immagini della sezione "Visualizzando" e nel cercare di individuare quanti più significati possibili per le parole indicate nella sezione "Una parola, tanti significati".

Soluzioni: dall'alto in basso e da sinistra verso destra: c, a, b, d

paradiso: per i cristiani, ciò che li attende dopo la morte se si sono comportati secondo le regole della loro religione; in generale: posto magnifico

taglia: misura, dimensione; terza persona singolare del presente indicativo del verbo tagliare

centro: la parte centrale di una città, un luogo di incontro per svolgere attività diverse; il punto centrale di una figura geometrica ecc.

dati: le informazioni che si inseriscono in un computer, le informazioni relative ad una persona, ad un conto corrente ecc.

Lavoriamo sul lessico

- Dopo aver svolto le attività indicate nelle sezioni C e D, potete dedicarvi alla scheda numero 2 a pagina 13. Dividete la classe in due gruppi. Fotocopiate due volte la pagina contenente le domande e consegnatene una copia ad ogni gruppo. Date ai corsisti qualche minuto di tempo per trovare le risposte, poi fatevi riconsegnare i fogli. Leggete ad alta voce una domanda per volta e controllate la risposta data da ogni gruppo. Quando avrete terminato con la fase di controllo, non vi resta che dichiarare quale gruppo ha vinto la gara!

Soluzione: 1) pecora nera, 2) volpe, 3) tartaruga, 4) pappagallo, 5) delfino, 6) Fifì, 7) siamese, 8) due, 9) 100.000 euro, 10) Livorno, 11) guida da cani, 12) quadrupede, 13) inizio, 14) cagnolino

La produzione orale

- Dopo aver moderato la conversazione scaturita dai quesiti proposti nella sezione G, potete svolgere la seguente attività: formate delle coppie in cui uno studente assume il ruolo di colui che adora gli animali domestici (A) e l'altro di colui che li detesta (B). Il compito consiste nel riflettere e annotare quali sono i vantaggi principali nella posizione di (A) e quali in quella di (B) in modo da convincere il proprio interlocutore che la propria convinzione e scelta sono migliori.

Lasciate agli studenti un po' di tempo per pensare, quindi invitateli a dar luogo alla discussione in coppia. Se volete, tale attività può essere svolta anche suddividendo la classe in due grandi gruppi con il ruolo di (A) e (B) e l'insegnante come moderatore della discussione in plenum.

La riflessione personale

- Alla fine dell'unità, potete facilitare il trasferimento dal generico alla sfera personale di quanto discusso e analizzato svolgendo la seguente attività: fotocopiate la scheda numero 3 a pagina 14 e consegnatene una copia ad ogni studente.

Il compito consiste nel compilare la scheda tenendo presente il proprio atteggiamento rispetto a quanto indicato. Al termine, invitate gli studenti a riferire i contenuti principali della loro riflessione dando luogo ad una discussione in plenum.

CHIAVI UNITÀ 2

A1 1. si è messa, 2. rotolandosi, 3. ha chiesto, 4. è partita, 5. rallegrandosi, 6. è venuta, 7. è nata, 8. possano, 9. sono, 10. è stato, 11. hanno speso, 12. pesca, 13. piace, 14. dimenticatevi/vi dimenticate, 15. possiede, 16. si è concentrata, 17. ha riservato, 18. si è fatto, 19. è crollato, 20. facendole

B2 1. c, 2. c, 3. a, 4. b

3 1. b, 2. b

C1 *da sinistra a destra*: pecora, delfino, coniglio, pappagallo, asino, volpe, elefante, tartaruga

2 1. coniglio, 2. pecora, 3. elefante, 4. asino, 5. volpe

3 *Chi dorme* non piglia pesci, *Una rondine* non fa primavera

D1 1. b, 2. a, 3. a, 4. b, 5. b, 6. a, 7. a, 8. b

E1 vecchietto/a, albero, cagnolino, porta, padroncino/a, leone

F1 1. g, 2. d, 3. a, 4. i, 5. c, 6. b, 7. e

2 1. erede, 2. agiata, 3. viziato, 4. accontentare, 5. acceleratore, 6. presunto

Scheda numero 1
Unità 2 – Sezione B

Visualizzando......

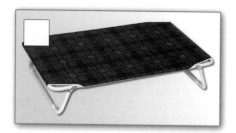

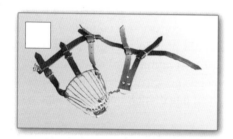

a) il guinzaglio, b) la museruola, c) la brandina, d) la ciotola

Una parola, tanti significati.....

paradiso   ....

taglia   ....

centro   ....

dati   ....

Scheda numero 2
Unità 2 – Sezione C e D

1) Come si può definire una persona che si comporta in maniera molto negativa rispetto alla sua famiglia o al gruppo a cui appartiene?

....

2) Quale animale è simbolo di furbizia?

....

3) Quale animale è simbolo di lentezza?

....

4) A quale animale si associa una persona che ripete le parole o le frasi senza conoscerne il significato?

....

5) Quale animale ha il linguaggio più evoluto dopo quello umano?

....

6) Come si chiama la gattina protagonista del testo A?

....

7) Che tipo di gattina è la protagonista del testo A?

....

8) Quanti nipoti ha la signora protagonista del testo A?

....

9) Quale cifra ha ereditato l'autista della signora protagonista del testo A?

....

10) Qual è la città della signora protagonista del testo A?

....

11) Cosa diciamo di una persona che guida l'automobile molto male?

....

12) Come si definisce un animale che ha quattro zampe?

....

13) Cosa significa "debutto"?

....

14) Quale diminutivo si può utilizzare per indicare un cane piccolo?

....

Scheda numero 3
La riflessione personale

Gli animali domestici che ho avuto/che ho:

....

....

Il mio atteggiamento verso gli animali domestici:

....

....

Il mio atteggiamento verso gli animali in generale:

....

....

Gli aspetti positivi nell'avere un animale domestico:

....

....

Gli aspetti negativi nell'avere un animale domestico:

....

....

L'animale domestico che mi piacerebbe avere e perché:

....

....

L'animale domestico che non vorrei mai avere e perché:

....

....

Cosa consiglio a coloro che hanno animali domestici:

....

....

Lavoriamo sul lessico

- Dopo aver svolto le attività indicate nelle sezioni B e C, potete dedicarvi al gioco contenuto nella scheda numero 1 a pagina 16. Dividete la classe in gruppi di tre o quattro persone. Fotocopiate la scheda e consegnatene una copia ad ogni gruppo. Il compito consiste nell'individuare la parola del testo A che può essere associata ad ogni gruppo di tre "indizi". Se volete, potete trasformare l'attività in una gara a tempo.
Soluzione: farmaco, vetrina, debito, impulso, donna, conto, patologia, sindrome, effetto, forza, spinta

Ascoltiamo

- Dopo aver svolto le attività indicate al punto E, potete approfondire la comprensione dell'ascolto utilizzando la scheda numero 2 a pagina 17.

- Fotocopiate la scheda, ritagliate lungo le linee tratteggiate in modo da ottenere un set di cartellini, fate lavorare gli studenti in coppia. Consegnate ad ognuna un set di cartellini mischiati e invitate a collegare le espressioni in neretto contenute nel testo ascoltato, con quelle in corsivo. Se volete, potete trasformare l'attività in una gara a tempo.

La produzione orale

- Dopo aver moderato la conversazione scaturita da quanto proposto al punto 1, 2, 3 e 4 della sezione F, potete svolgere la seguente attività: invitate gli studenti a scrivere una lista di oggetti comuni che comprerebbero molto volentieri in un momento di shopping sfrenato. Formate delle coppie: il compito consiste nel mettersi d'accordo su cosa comprare di quanto contenuto nelle liste, avendo a disposizione un massimo di 2.000 euro. Al termine, si riferirà alla classe ciò che si è scelto e perché.

La riflessione personale

- Alla fine dell'unità, potete facilitare il trasferimento dal generico alla sfera personale di quanto discusso e analizzato svolgendo la seguente attività: fotocopiate la scheda numero 3 a pagina 18 e consegnatene una copia ad ogni studente.
Il compito consiste nel compilare la scheda tenendo presente il proprio atteggiamento rispetto a quanto indicato. Al termine, invitate gli studenti a riferire i contenuti principali della loro riflessione

dando luogo ad una discussione in plenum.

CHIAVI UNITÀ 3

A2 1, 2, 4, 5, 8

B1 *vetro*: trasparente barriera; *svegliarsi, riprendere coscienza*: rivedere le stelle; *ha sfruttato la debolezza*: si è fatto gioco del vostro cattivo umore; *come se fosse*: quasi fosse; *sostiene di essere sicuro*: si dice convinto; *sotto il controllo*: in balia

   2 *trasparente*: a, *comune*: b, *provare*: c, *consumato*: b, *recuperare*: c

C1 *celare*: nascondere, *tossicodipendente*: drogato, *farmaco*: medicina, *comprare*: acquistare, *necessità*: bisogno, *certezza*: sicurezza

E2 1. un sondaggio intervistando circa, 2. vacanza qualunque essa sia, 3. modo alternativo di pagamento, 4. di pagare a rate, 5. con un reddito alto, 6. uomini rispetto alle donne

G 1. b, 2. d, 3. b, 4. a, 5. c, 6. c, 7. a, 8. a, 9. a, 10. b, 11. b, 12. d

Scheda numero 1
Unità 3 – Sezione A, B, C

medicina – cura – aspirina	
esporre – negozio – luci	
pagare – obbligo – creditore	
desiderio – voglia – irrazionale	
persona – angelo – Eva	
banca – numero – rosso	
malattia – anomalia – alterazione	
sintomo – disturbo – psicosi	
causa – speciale – risultato	
capacità – peso – resistenza	
urto – stimolo – incitamento	

Scheda numero 2
Unità 3 – Sezione E

è davvero vero	*è proprio la verità*
pur di andare in vacanza	*per partire in ogni caso*
qualunque essa sia	*non importa di cosa si tratti*
modo alternativo di pagamento	*un'altra maniera di pagare*
scaricare la coscienza	*liberarsi dai sensi di colpa*
sono pronti a indebitarsi	*sono disposti a fare debiti*
forma rateale di pagamento	*pagare un importo a rate*
gestione del flusso di cassa	*il modo di utilizzare i contanti*
un altro approccio al denaro	*un altro rapporto con i soldi*
importi	*i totali delle spese*

Scheda numero 3
La riflessione personale

Per me fare spese è...:

....

....

Mi piace fare spese da solo/in compagnia perché:

....

....

Il periodo migliore per fare spese e perché:

....

....

Quando vado a fare spese preferisco comprare...:

....

....

In genere non riesco a resistere a...:

....

....

In genere mi annoio quando devo comprare...:

....

....

Ho contratto un debito o ho fatto un prestito a qualcuno per...:

....

....

Un giorno finalmente riuscirò a comprarmi...:

....

....

La grammatica in pillole

- La questione grammaticale su cui si intende riflettere nella sezione B è quella relativa agli aggettivi che presentano delle forme di comparazione irregolare.

- Prima di consultare l'appendice grammaticale presente nel Quaderno degli esercizi a pagina 107, potete guidare la riflessione sulla comparazione svolgendo l'attività prevista nella sezione B. Eventualmente potete scrivere alla lavagna i comparativi di maggioranza dati, ovvero:

superiore   pessimo   migliore   massimo

e altri comparativi e superlativi a scelta tra quelli elencati nell'appendice grammaticale. Chiedete agli studenti qual è l'aggettivo da cui provengono, quindi invitateli a consultare l'Appendice grammaticale.

- La questione grammaticale su cui si intende riflettere nella sezione F è quella relativa ai nomi composti. Dopo aver svolto l'attività indicata, invitate gli studenti a consultare l'Appendice grammaticale presente nel Quaderno degli esercizi a pagina 104.

Ascoltiamo

- Dopo aver svolto l'attività indicata al punto C, potete approfondire la comprensione dell'ascolto utilizzando la scheda numero 1 a pagina 20.

- Fate lavorare gli studenti in coppia. Fotocopiate la scheda e consegnatene una copia ad ogni coppia di studenti. Fate ascoltare di nuovo il brano, invitando gli studenti a concentrarsi sul modo di parlare dell'intervistato. Quest'ultimo spesso tende a utilizzare più espressioni per meglio illustrare un concetto o descrivere un fenomeno. Ad esempio, parlando delle zone del Cashmere le definisce "desolate, lontane, sguarnite". Il compito di ogni coppia consiste nel riempire i contenitori dati con le parole disposte alla rinfusa, collegandole sulla base di quanto ascoltato.
Soluzione: contamina condiziona, determina / miniaturizzati, piccoli / metodi, culture, competenze / città, villaggi / tragicità, ferocia / desolate, lontane, sguarnite / scossoni, terremoti / entrando in ballo, condividendo, diventando

Lavoriamo sul lessico

- Dopo aver svolto le attività indicate nelle sezioni D e G, potete dedicarvi al gioco contenuto nella scheda numero 2 a pagina 21. Dividete la classe in gruppi di tre o quattro persone. Fotocopiate la scheda e consegnatene una copia ad ogni gruppo. Il compito consiste nell'individuare le parole di cui sono date le lettere iniziali e finali, ricordando che sono tutte contenute nei testi A e B del punto D3. Il percorso alfabetico può essere trasformato anche in una gara a tempo, in cui la lettera Z costituisce il punto di arrivo. Al termine, procedete con il riscontro in plenum.
Soluzione: apparecchio, buffonate, consumo, documentario, esotico, film, gusti, ho, invenzione, leader, mezzo, naturalmente, oziare, programmi, qualcosa, renderci, spot, teledipendente, utente, varietà

La riflessione personale

- Alla fine dell'unità, potete facilitare il trasferimento dal generico alla sfera personale di quanto discusso e analizzato svolgendo la seguente attività: fotocopiate la scheda numero 3 a pagina 22 e consegnatene una copia ad ogni studente. Il compito consiste nel compilare la scheda tenendo presente il proprio atteggiamento rispetto a quanto indicato. Al termine, invitate gli studenti a riferire i contenuti principali della loro riflessione dando luogo ad una discussione in plenum.

CHIAVI UNITÀ 4

Per cominciare...

1 1. d, 2. a, 3. c, 4. b

A1 1. staccare, 2. Pensateci, 3. ha, 4. andrebbe, 5. potesse, 6. è stato, 7. potrebbe, 8. potessero, 9. direbbero, 10. siamo, 11. si fa, 12. affratellano, 13. sfuggire, 14. parlano, 15. dovremmo, 16. ha, 17. fa, 18. può, 19. Basta (Basti), 20. ce l'ho

C1 1. d, 2. b, 3. a, 4. a

2 b

3 c

D4 1. b, 2. a, 3. a, 4. b, 5. b, 6. a, 7. b, 8. a, 9. a, 10. b

E1 *ciò nonostante:* tuttavia; *cattivo, pessimo:* di nessun valore; *mi rendo conto che:* mi accorgo; *non ci pentiamo affatto:* nessun senso di colpa; *nel passato:* un tempo

G2 1. teledipendenti, 2. televisore, 3. telenovele, 4. puntata, 5. protagonisti, 6. varietà, 7. parabolica, 8. canali, 9. abbonamento, 10. videoregistratore, 11. in onda, 12. telecomando

Scheda numero 1
Unità 4 – Sezione C

terremoti

ferocia

contamina

competenze

miniaturizzati

condiziona

determina

sguarnite

piccoli

tragicità

lontane

scossoni

entrando in ballo

diventando

culture

condividendo

desolate

metodi

città

villaggi

Scheda numero 2
Unità 4 – Sezione D e G

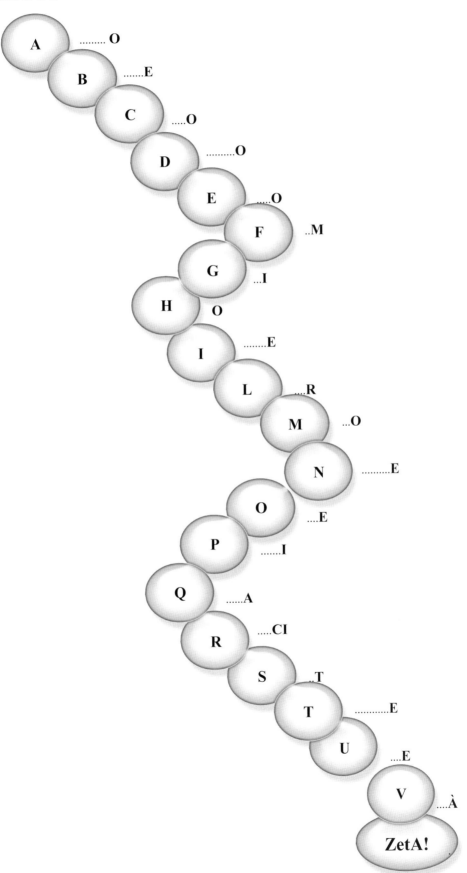

A ....O

B ....E

C .....O

D ....O

E ....O

F ..M

G ..I

H O

I ....E

L ....R

M ...O

N ....E

O ...E

P I

Q ......A

R CI

S ..T

T ....E

U ....E

V ....À

ZetA!

Scheda numero 3
La riflessione personale

Se, quanto e quando guardo la TV:

....

....

Perché guardo/non guardo la TV:

....

....

Secondo me gli aspetti positivi della TV sono:

....

....

Secondo me gli aspetti negativi della TV sono:

....

....

Pregi e difetti della TV nel mio Paese:

....

....

Da bambino mi piaceva guardare:

....

....

I miei programmi preferiti oggi:

....

....

Se lavorassi in TV vorrei:

....

....

Come immagino la TV del futuro:

....

....

La grammatica in pillole

- La questione grammaticale su cui si intende riflettere nella sezione C1 è quella relativa alle interiezioni, ovvero quelle parti invariabili del discorso che si usano per esprimere emozioni, saluti, ordini ecc.
- Scrivete alla lavagna:

    Boh!   *Ahi!*   *Sst!*

- Chiedete agli studenti in quali situazioni utilizzerebbero tali interiezioni. Ad esempio *Boh* si usa quando non si conosce una risposta, *Ahi* quando ci si fa male, *Sst* per chiedere di fare silenzio. Se volete, potete fare un confronto tra culture invitando gli studenti a raccontare quali interiezioni utilizzerebbero nella loro lingua nei casi sopraindicati. Le interiezioni infatti sono espressioni profondamente radicate in una cultura, che sembrano avere un valore universale ai parlanti nativi per il loro stretto legame con il contesto piuttosto che con il significato e invece cambiano da una lingua all'altra.

- Dopo aver svolto l'attività indicata al punto C1, invitate gli studenti a consultare l'Appendice grammaticale presente nel Quaderno degli esercizi a pagina 105.

- La questione grammaticale su cui si intende riflettere nella sezione C2 è quella relativa ai pronomi combinati e ai verbi pronominali. Dopo aver svolto l'attività indicata, invitate gli studenti a consultare l'Appendice grammaticale presente nel Quaderno degli esercizi a pagina 110-111. Se volete, potete proporre l'attività di fissaggio presente nella Guida di Progetto Italiano 2 a pagina 14.

- La questione grammaticale su cui si intende riflettere nella sezione H è quella relativa ai vari usi di *ci*. Svolgete l'attività indicata e lasciate che gli studenti riferiscano gli usi di *ci* che ricordano. Trascriveteli alla lavagna e discuteteli in plenum, eventualmente completando con quanto contenuto nell'Appendice grammaticale del Quaderno degli esercizi a pagina 110.

Lavoriamo sul lessico

- Dopo aver svolto le attività indicate nelle sezioni D e E, potete dedicarvi al contenuto della scheda numero 1 a pagina 25. Fate lavorare gli studenti in coppia. Fotocopiate la scheda e consegnatene una copia ad ogni coppia. Il compito consiste nell'indi-viduare l'intruso presente in ogni gruppo di 4 parole e spiegare perchè si tratta di un intruso. In ogni casella sono contenute almeno tre parole tratte dal testo della sezione A1. Al termine, procedete con il riscontro in plenum ascoltando la riflessione di ogni coppia

Soluzione: "villaggio" perchè non è nel testo, "si alzò" perchè non è un verbo che indica movimento verso qualcosa, "sassi" perché è l'unico elemento non vegetale, "strada" perché si tratta di una costruzione umana, "castello" perché le altri sono parti specifiche di una costruzione, "rame" perché non è prezioso.

La produzione orale

- Dopo aver moderato la conversazione scaturita da quanto proposto ai punti 1 e 2 della sezione F, potete svolgere la seguente attività: dividete la classe in gruppi di tre e assegnate ad ognuno un ruolo. Uno studente è Martino Testadura, uno è il nonno e uno è la bella castellana. Se necessario, potete inserire altri personaggi, a scelta tra i concittadini di Martino. Il compito consiste nel drammatizzare il testo letto animandolo con la conversazione tra il nonno che cerca di convincere il nipotino a non percorrere la strada, le repliche del bambino, la conversazione con la bella castellana, i commenti dei paesani ecc. Insomma, si tratta di giocare un po' al teatro ed eventualmente recitare la propria *pièce* al resto della classe.

Ascoltiamo

- Dopo aver svolto l'attività indicata al punto G, potete approfondire la comprensione dell'ascolto utilizzando la scheda numero 2 a pagina 26.

- Fate lavorare gli studenti in coppia. Fotocopiate la scheda e consegnatene una copia ad ogni coppia di studenti. Fate ascoltare di nuovo il brano, invitando gli studenti ad associare sulla base dei contenuti della conversazione le parole date alla rinfusa a quelle contenute nella colonna di sinistra. Al termine, procedete con il riscontro in plenum.

Soluzione:

Roberto Denti	*proprietario*	*fondatore*
Europa	*Milano*	*Londra*
Gianni Rodari	*autore*	*personaggio*
Libri	*testo*	*lettura*

titoli	Favole al telefono	Filastrocche in cielo e in terra
Innovazione	concretezza	attualità
bambini	persone	individui

La riflessione personale

- Alla fine dell'unità, potete facilitare il trasferimento dal generico alla sfera personale di quanto discusso e analizzato svolgendo la seguente attività: fotocopiate la scheda numero 3 a pagina 26 e consegnatene una copia ad ogni studente.

  Il compito consiste nel compilare la scheda tenendo presente il proprio atteggiamento rispetto a quanto indicato. Al termine, invitate gli studenti a riferire i contenuti principali della loro riflessione dando luogo ad una discussione in plenum.

CHIAVI UNITÀ 5

Per cominciare...

3 1. d, 2. f, 3. e, 4. c, 5. a, 6. b

A2 1, 3, 4, 8, 9, 10

B *avvicinarsi a*: gli corse incontro; *convinto di avere ragione*: testa dura; *far male*: dolevano, *incredibile*: toh; *arrabbiarsi*: se la prendeva; *davanti a*: sulla soglia

D1 1. cammino, 2. stradale, 3. misteriosa, 4. dolore, 5. favolosi

E 1. che, 2. sapeva, 3. cavalli, 4. dove, 5. fu (venne), 6. tutti, 7. in, 8. e, 9. fece, 10. raccontare, 11. volta, 12. prendere, 13. per, 14. stessa, 15. faccia, 16. per (secondo), 17. un, 18. Non, 19. bella (la), 20. chi

G2 1. d, 2. b, 3. a, 4. c

3 1. b, 2. c, 3. a

Scheda numero 1
Unità 5 – Sezione D, E

città   villaggio
paese   mare

È un intruso: ....

Perché: ....

---

imboccò   si alzò
si avviò   andò

È un intruso: ....

Perché: ....

---

sassi siepe
rami   alberi

È un intruso: ....

Perché: ....

---

bosco parco
cielo strada

È un intruso: ....

Perché: ....

---

porte finestre
castello balcone

È un intruso: ....

Perché: ....

---

oro argento
rame diamanti

È un intruso: ....

Perché: ....

Scheda numero 2
Unità 5 – Sezione G

Roberto Denti		
Europa		
Gianni Rodari		
Libri		
titoli		
Innovazione		
bambini		

testo	attualità
Milano	personaggio
Favole al telefono	persone
concretezza	autore
proprietario	fondatore
lettura	individui
Filastrocche in cielo e in terra	Londra

Scheda numero 3
La riflessione personale

Da bambino credevo a...:
....
....

Da bambino non credevo a chi mi diceva che...:
....
....

Nei miei sogni di bambino speravo che...:
....
....

Da bambino avevo paura di...:
....
....

Da bambino mi piaceva ascoltare storie di...:
....
....

La mia favola preferita e perché:
....
....

Se fossi la strega...:
....
....

Se avessi la bacchetta magica...:
....
....

La grammatica in pillole

- La questione grammaticale su cui si intende riflettere nella sezione C riguarda alcune categorie di pronomi e aggettivi. Per ognuno di quelli presenti nell'attività lasciate che gli studenti indichino se si tratta di aggettivi o pronomi, la categoria di appartenenza ed eventualmente genere e numero e inseriteli nella seguente tabella che avrete disegnato alla lavagna:

Pronomi relativi invariabili
Pronomi relativi variabili
Indefiniti usati come aggettivi
Indefiniti usati come pronomi
Aggettivi dimostrativi
Pronomi dimostrativi

Invitate i corsisti a suggerirvi altri pronomi e aggettivi dello stesso tipo che potrete inserire in tabella e quando non ci saranno altri suggerimenti consultate l'Appendice grammaticale presente nel Quaderno degli esercizi a pagina 108 e 109 completando la tabella con gli elementi dati.

- La questione grammaticale su cui si intende riflettere nella sezione G è relativa alle reggenze verbali. Dopo aver svolto l'attività indicata nel libro di testo, invitate gli studenti a consultare l'Appendice grammaticale presente nel quaderno degli esercizi a pagina 119 e 120. Dividete la classe in gruppi di tre o quattro persone. Invitate tutti i corsisti a concentrarsi per tre o quattro minuti sulla lista di verbi

data, quindi fate chiudere il quaderno degli esercizi. Il compito di ogni gruppo consiste nello scrivere quanti più verbi seguiti da preposizione si riesca a ricordare nel corso di due minuti. Al vostro stop, lasciate che ogni gruppo riferisca i propri risultati. Chi ha scritto il maggior numero di verbi seguiti dalla giusta preposizione? In alternativa, potete fotocopiare la lista di verbi dell'Appendice grammaticale cancellando le preposizioni e, dopo averne consegnata una copia ad ogni gruppo, invitare gli studenti a scrivere le preposizioni mancanti.

Lavoriamo sul lessico

- Dopo aver svolto le attività indicate nella sezione D, potete dedicarvi al contenuto della scheda numero 1 a pagina 30. Fate lavorare gli studenti in gruppi di 4 persone o dividete la classe in due grandi gruppi. Fotocopiate la scheda, ritagliate lungo le linee tratteggiate per ottenere un set di cartellini e consegnatene sei ad ogni grande gruppo o ad ogni coppia all'interno di un gruppo. A turno, una coppia o un gruppo prende un cartellino e legge uno alla volta gli indizi contenuti nella carta. Ad ogni indizio, gli avversari hanno la possibilità di indovinare la parola. Il numero dell'indizio corrisponde al punteggio che si consegue nel momento in cui si indovina la parola. Al termine, si fa la somma dei punti ottenuti e per una volta vince chi ne ha di meno!

La produzione orale

- Dopo aver moderato la conversazione scaturita da quanto proposto nella sezione E, potete svolgere la seguente attività: dividete la classe in gruppi e mettete a disposizione di ognuno i seguenti ruoli: l'uomo/donna d'affari che viaggia in continuazione da un continente all'altro e a causa del jet lag ha grandi problemi con il sonno, il cantante famoso spesso in tournée che non riesce a recuperare le ore di sonno perdute, la mamma di due bambini piccolissimi che non riesce a riposare di notte, lo sportivo dai bioritmi equilibrati, il medico salutista, il bravo studente che va a letto presto di sera e si sveglia presto la mattina. Ognuno sceglie il ruolo che preferisce e insieme si dà vita ad una conversazione in cui si parla delle proprie abitudini si chiedono e si danno consigli agli altri.

Ascoltiamo

- Dopo aver svolto le attività indicate nella sezione F, potete approfondire la comprensione di alcuni termini che compaiono nel testo ascoltato utilizzando la scheda numero 2 a pagina 31.

- Fate lavorare gli studenti in coppia. Fotocopiate la scheda e consegnatene una copia ad ogni coppia di studenti. È consigliabile far riascoltare il brano dell'attività F invitando gli studenti a individuare nell'ascolto le dieci parole contenute nel riquadro centrale della scheda allo scopo di poter intuire il significato di quelle meno facili. Poi invitate ogni coppia a collocare le parole nel riquadro centrale all'interno dei riquadri contenenti i puntini, in corrispondenza della giusta definizione. Al termine procedete con il riscontro in plenum.

Soluzione da sinistra a destra e dall'alto in basso: deprivazione, cromosoma, morbo, agonia, referto, albero genealogico, decesso, paziente, sconfiggere, discendente

La riflessione personale

- Alla fine dell'unità, potete facilitare il trasferimento dal generico alla sfera personale di quanto discusso e analizzato svolgendo la seguente attività: fotocopiate la scheda numero 3 a pagina 32 e consegnatene una copia ad ogni studente.

Il compito consiste nel compilare la scheda tenendo presente il proprio atteggiamento rispetto a quanto indicato. Al termine, invitate gli studenti a riferire i contenuti principali della loro riflessione dando luogo ad una discussione in plenum.

CHIAVI UNITÀ 6

A1 1. b, 2. b, 3. a, 4. c, 5. a

B1 *il necessario, quanto basta*: il proprio fabbisogno; *si avvertono, si manifestano*: si fanno presto sentire; *rilassarsi*: abbassare la guardia; *addormentarsi improvvisamente*: colpo di sonno; *si stava ammalando*: stava cedendo a qualche infezione

2 (soluzione suggerita) *innovazioni tecnologiche*: invenzioni tecnologiche; *la fase che precede l'addormentamento*: le ore prima di andare a letto; *si fanno sentire...*: influenzano; *a un errore... sono state attribuite*: un errore è stato la causa...; *d'altro canto*: d'altra parte/del resto

C Si tratta di pronomi e aggettivi indefiniti; invariabili: *nulla*, *qualche*

D1 *diffondere*: diffusione, *reazione*: reagire, *aggredire*: aggressione, *dubbio*: dubitare, *contribuire*: contributo, *esplosione*: esplodere

2 *grave*: lieve (c), *stanchezza*: fatica (s), *colpevole*: innocente (c), *disturbo*: fastidio (s), *debito*: credito (c), *allungare*: accorciare (c), *interiore*: esteriore (c), *magnifico*: splendido (s), *carenza*: mancanza (s)

3 1. materasso, 2. incubo, 3. coperta, 4. cuscino, 5. pigiama

F2 3, 4, 6, 7

G1 1. ad, 2. a, 3. di, 4. di, 5. di, 6. a, 7. ad, 8. di

H 1. soggettiva, 2. aggira, 3. insufficiente, 4. abituali, 5. applicare, 6. dedicarsi, 7. Evitare, 8. favorisce

I dorme come un orso/come un sasso, ha il sonno pesante, passa la notte in bianco, dorme il sonno del giusto, perde il sonno, dorme su un letto di piume, casca dal sonno, va a letto con le galline, dorme a occhi aperti, chi dorme non piglia pesci

Scheda numero 1
Unità 6 – Sezione D

orologio	buonanotte	rumori
1. Può essere rotondo	1. Può essere preceduta dall'articolo "la"	1. Danno fastidio
2. Può essere quadrato	2. È composta da due parole	2. Possono produrli le auto
3. C'è chi ne fa collezione	3. Si usa sia con il "tu" che con il "Lei"	3. Non hanno melodia
4. Può essere molto costoso	4. Indica qualcosa di positivo	4. Possono essere sospetti
5. Può essere da uomo e da donna	5. Nel mondo si dice in momenti diversi	5. In città sono più forti
6. Sono famosi quelli svizzeri	6. Si dice per gentilezza	6. Hanno a che vedere con i suoni
7. Si può mettere nel taschino	7. Ha a che vedere con il dormire	7. Creano inquinamento
8. Può indicare la data	8. Può essere seguita da "sogni d'oro"	8. Ne produciamo più che in passato
9. Si può portare al polso	9. È una forma di saluto	9. Possiamo sentirli
10. Indica l'ora	10. Si dice prima di andare a dormire	10. Si misurano in decibel

ora	guardia	sonno
1. Può essere un avverbio	1. È una parola femminile ma indica spesso un uomo	1. È un sostantivo
2. Può essere un sostantivo	2. Si può usare con "stare in"	2. Ha diverse fasi
3. Se è sostantivo è femminile	3. Si può usare con "essere di..."	3. Può essere agitato
4. Se è avverbio indica il presente	4. Controlla chi arriva	4. Chi non lo ha mai soffre
5. Si contrappone a "dopo"	5. Può essere della banca	5. Anche averlo sempre è un problema
6. Può essere una risposta a "Quando?"	6. Può essere notturna	6. Se ci prende mentre guidiamo può essere pericoloso
7. Ha a che vedere con le lancette	7. La fanno i militari	7. Ci fa sentire riposati
8. Può andare da 1 a 24	8. Serve a proteggere	8. Non ci permette di stare in piedi
9. Ne fanno parte i secondi	9. Può essere armata	9. In genere lo si ha di notte
10. È composta da 60 minuti	10. Al Vaticano è solo svizzera	10. Quando lo si ha, di solito ci si addormenta

fuso orario	abitudini	capacità
1. È composto da due parole distinte.	1. Sono un sostantivo	1. È un sostantivo
2. È importante nel libro "Il giro del mondo in 80 giorni"	2. Possono essere noiose	2. Termina con un accento
3. Il minimo è di mezz'ora	3. Sono costanti	3. È femminile
4. Sposta l'ora avanti e indietro	4. Le amano i bambini	4. È positivo averne molte
5. Riguarda la longitudine	5. È difficile rinunciarci	5. Possono essere innate o acquisite
6. Ci fa sentire stanchi dopo un lungo viaggio	6. Quando parliamo di quelle del passato, usiamo l'imperfetto	6. Indica una possibilità
7. Ha a che vedere con Greenwich	7. Possono essere buone	7. Il contrario può indicare il "non saper fare"
8. Aumenta se si va lontano	8. Possono essere cattive	8. Ne ha di ottime un bravo studente
9. Può riportarci indietro nel tempo	9. Cambiano da una persona all'altra	9. Una è quella di adattamento
10. Tra Roma e New York è di 6 ore	10. Sono il ripetersi delle nostre azioni	10. Una è quella di apprendimento

sopravvivenza	veglia	statistica
1. È un sostantivo	1. È un sostantivo	1. È un sostantivo
2. È un nome composto	2. È femminile	2. È una scienza
3. Può essere un'arte	3. Si può usare con "fare la"	3. Si può usare per provare qualcosa
4. È una capacità	4. Si fa con le ore piccole	4. La fa un istituto
5. Riguarda gli esseri viventi	5. Si può fare intorno al falò	5. Si fa con un campione
6. A volte può essere dura	6. Facendola si può aspettare l'alba	6. Serve per misurare un fenomeno
7. È un istinto	7. È notturna	7. Può indicare una probabilità
8. Chi è forte ne ha ottime probabilità	8. Si può fare sotto le stelle	8. Si esprime in percentuali
9. Serve a conservare la specie	9. Chi la fa sempre, soffre di insonnia	9. Si fa con un'indagine
10. È una necessità che ci spinge a metterci in salvo	10. La fa chi non dorme	10. Si può fare per indicare ogni quanto tempo può accadere un evento

Scheda numero 2
Unità 5 – Sezione F

....

Assenza di stimoli che può provocare disturbi psichici

....

Unità essenziale di ogni cellula vivente in cui sono situati i geni che trasmettono i caratteri ereditari

....

Malattia spesso grave se non mortale

....

L'ultima lotta della vita con la morte

paziente

referto

deprivazione

morbo

decesso

sconfiggere

albero genealogico

agonia

discendente

cromosoma

....

Relazione scritta rilasciata dal medico dopo aver sottoposto un paziente a esame

....

Disegno che indica il rapporto di successione delle varie generazioni di una famiglia

....

Morte, per lo più nell'uso burocratico

....

Persona malata affidata alle cure di un medico

....

Debellare, vincere una malattia

....

Colui che segue nel tempo una generazione nell'ambito di una stessa famiglia

Scheda numero 3
La riflessione personale

In genere:

durante la settimana vado a dormire e mi sveglio alle ....

mentre il fine settimana ....

Mi addormento facilmente con...:

....

....

Non riesco a dormire se...:

....

....

Il mio umore quando mi sveglio, di solito è:

....

....

Sogno spesso...:

....

....

Da bambino/a:

andavo a letto alle ....

mi piaceva dormire con ....

la mia ninna nanna preferita era ....

....

....

Secondo me, per dormire bene è necessario:

....

perché ....

Mi piacerebbe dormire...:

....

....

Lavoriamo sul lessico

- Dopo aver svolto le attività indicate nella sezione C, potete dedicarvi al contenuto della scheda numero 1 a pagina 35. Fate lavorare gli studenti in coppia o in piccoli gruppi. Fotocopiate la scheda e consegnatene una copia ad ogni gruppo. Il compito consiste nel ricongiungere i due blocchi che formano una parola estratta dal testo della sezione A. I puntini che precedono o seguono la sequenza di lettere indicano se tale sequenza è la parte iniziale o finale della parola e quante lettere mancano per ricostruirla. Se volete, potete trasformare l'attività in una gara a tempo.

Soluzione: audio, coraggio, fedeltà, gradevole, pensieri, immagine, maschi, giudicare, fine, relazioni, notizie, spazio, scopo, verifica

La grammatica in pillole

- La questione grammaticale su cui si intende riflettere nella sezione D riguarda alcune categorie di pronomi e la loro posizione in concomitanza con infinito e imperativo. Per ognuno di quelli presenti nell'attività, lasciate che gli studenti indichino a chi si riferiscono, quindi invitateli a inserirli nella presente tabella:

Pronomi diretti
Pronomi indiretti
Pronomi diretti e indiretti con infinito
Pronomi diretti e indiretti con imperativo

Dopo aver completato la tabella con i suggerimenti degli studenti, consultate l'Appendice grammaticale presente nel Quaderno degli esercizi a pagina 107 per la verifica. Rimandate ad un secondo momento la questione dei pronomi combinati.

- La questione grammaticale su cui si intende riflettere nella sezione G è quella relativa ai pronomi combinati. Dopo aver svolto l'attività indicata nel libro di testo, invitate gli studenti a riferire le regole principali per la formazione dei pronomi combinati, quindi consultate l'Appendice grammaticale presente nel Quaderno degli esercizi a pagina 108.

Ascoltiamo

- Dopo aver svolto le attività indicate nella sezione F, potete divertirvi a visualizzare argomenti e situazioni con la scheda numero 2 a pagina 36.

- Fate lavorare gli studenti in coppia. Fotocopiate la scheda e consegnatene una copia ad ogni coppia di studenti. Il compito consiste nel collocare frasi e parole in corrispondenza delle vignette come se fossero delle didascalie.

Soluzione: a. 4, b. 1, c. 2, d. 6, e. 3, f. 5, g. 7, h. 8, i. 10, l. 9

La produzione orale

- Dopo aver moderato la conversazione scaturita da quanto proposto ai punti 1 e 2 della sezione H, potete svolgere la seguente attività: dividete la classe in coppie formate se possibile da un maschio e una femmina. Chiedete agli studenti di calarsi nei panni dell'altro sesso e di dar luogo ad una discussione in cui ognuno rimprovera all'altro i tipici difetti dell'uomo e della donna, magari prendendo come esempio quelli elencati nell'ascolto della sezione precedente. Se si hanno coppie di persone dello stesso sesso, ci si immaginerà comunque del sesso opposto e si darà luogo ad una conversazione in cui ognuno si sfoga raccontando i difetti del proprio partner.

La riflessione personale

- Alla fine dell'unità, potete facilitare il trasferimento dal generico alla sfera personale di quanto discusso e analizzato svolgendo la seguente attività: fotocopiate la scheda numero 3 a pagina 37 e consegnatene una copia ad ogni studente.
Il compito consiste nel compilare la scheda tenendo presente il proprio atteggiamento rispetto a quanto indicato. Al termine, invitate gli studenti a riferire i contenuti principali della loro riflessione dando luogo ad una discussione in plenum.

CHIAVI UNITÀ 7

B1 *non ha a che fare con*: non sta nella; *come per esempio*: tipo; *qualsiasi cosa pensi*: tutto ciò che gli passa per la mente; *per lui è sufficiente*: gli basta; *non gli interessano i dettagli*: ai particolari non bada

C1 *sopportare*: tollerare, *detestare*: amare, *intimo*: privato, *coraggio*: timore, *tacere*: parlare, *rapporto*: relazione, *svelare*: nascondere, *confronto*: paragone

  2 *giudicare*: giudizio, *comportarsi*: comportamento, *colpire*: colpo, *dimostrare*: dimostrazione, *confermare*: conferma, *disprezzare*: disprezzo

  3 a. ha raccontato, b. esprimi, c. ha confessato, d. ha assicurato, e. Spiegami, f. ha riferito, g. affermò, h. ha svelato

D1 a. *me*, b. a voi, c. a lui, d. lei, e. lui, f. a lui, g. il look

E1 tuo, cui, li, tuo, te, Quel, mi, lo, tua, mi, ti, ti, ti, tuo, quell'

  3 *dire due parole*: esporre brevemente un'idea, un concetto; *dire in faccia*: dire qualcosa ad una persona in modo diretto; *dire pane al pane e vino al vino*: dire come stanno realmente le cose, chiamare le cose con il loro nome; *dire la propria*: esprimere la propria opinione; *dire una cosa per un'altra*: dire una cosa sbagliata, involontariamente o intenzionalmente; *dire chiaro e tondo*: parlare con franchezza, senza girarci intorno

F1 1. concreto, 2. il vivere insieme, 3. obbligare a fare qualcosa, 4. protestare sottovoce, 5. senso di fastidio, 6. tradimento

  2 *moglie*: 1, 3, 4 ; *marito*: 2, 5, 6

G a. No, non/Sì, glielo darò, b. No, non/Sì, ve la girerò, c. No, non/Sì, gliela dirò, d. No, non/Sì, me l'ha mandata, e. No, non/Sì, gliel'ho prestato, f. No, non/Sì, te li comprerò

Scheda numero 1
Unità 7 – Sezione C

au...	
co......	
fe.....	
grade....	
pen.....	
imma....	
ma....	

giudi....	
fi..	
rela.....	
no.....	
spa...	
sco..	
veri....	

..schi	...zio	..dio	.....care
..ne	..deltà	..tizie	....fica
...po	...sieri	....zioni	..raggio
	.....vole	....gine	

Scheda numero 2
Unità 7 – Sezione F

1

2

3

a. Sospiri, sguardi, fiori e tramonti

10

4

b. Fare nevroticamente zapping con il telecomando

c. Alchimia della convivenza

d. Emicranie strategiche

e. Perché le donne occupano il bagno per ore?

f. "Con mia moglie? È come se fossimo separati in casa!"

9

g. Perché gli uomini lasciano sempre alzata l'asse del water?

5

h. La coppia scoppia

i. Perché lui lascia per terra giornali, calzini e asciugamani?

l. non chiedere mai indicazioni stradali

8

7

6

Scheda numero 3
La riflessione personale

Cosa mi piace delle donne:
....
....

Cosa non mi piace delle donne:
....
....

Cosa mi piace degli uomini:
....
....

Cosa non mi piace degli uomini:
....
....

I miei pregi nella vita di coppia:
....
....

I miei difetti nella vita di coppia:
....
....

Per me la coppia ideale è quella che:
....
....

Il partner dei miei sogni:
....
....

La grammatica in pillole

- La questione grammaticale su cui si intende riflettere nella sezione C riguarda il condizionale del verbo *volere* e alcuni usi del condizionale. Dopo aver svolto le attività 1 e 2, potete invitare gli studenti a formulare due frasi per ognuno degli usi del condizionale indicati nel punto C2 con *a, b* e *c* e a riferirle in plenum. A questo punto, potete consultate l'Appendice grammaticale presente nel Quaderno degli esercizi alle pagine 115 e 122 per la verifica.

- La questione grammaticale su cui si intende riflettere nella sezione H è quella relativa ai possessivi. Dopo aver svolto l'attività indicata nel libro di testo, invitate gli studenti a riferire le regole principali riguardanti i possessivi e il loro uso con e senza articolo, quindi consultate l'Appendice grammaticale presente nel Quaderno degli esercizi a pagina 106.

Lavoriamo sul lessico

- Dopo aver svolto le attività indicate nella sezione D, potete dedicarvi al contenuto della scheda numero 1 a pagina 40. Fotocopiate la scheda, ritagliate lungo le linee tratteggiate, dividete la classe in due grandi gruppi e consegnate ad ognuno quattro strisce, scelte a caso, contenenti le frasi da completare e quattro strisce con le rimanenti frasi già completate. A turno, ogni gruppo cerca di completare le proprie frasi chiedendo se è presente ogni volta una lettera diversa. Se la lettera richiesta è presente, la si potrà inserire nella frase negli spazi che i compagni sono tenuti ad indicare. Eventualmente le frasi possono essere trascritte alla lavagna. Ogni lettera richiesta farà guadagnare un punto e naturalmente vincerà il gruppo che al termine avrà collezionato il punteggio più basso!

Ascoltiamo

- Dopo aver svolto le attività indicate nella sezione E, potete invitare gli studenti a riassumere i concetti principali espressi nel testo completando la scheda numero 2 a pagina 41 che avrete provveduto a fotocopiare e distribuire.

La produzione orale

- Dopo aver moderato la conversazione scaturita da quanto proposto nella sezione F, potete svolgere la seguente attività: il compito consiste nell'ideare un monologo il cui scopo è quello di illustrare i fattori positivi della lunga convivenza tra genitori e figli se lo si ritiene un fattore positivo e di indicarne gli aspetti negativi se è questa la propria opinione a riguardo. Ogni monologo dovrà avere una durata di circa due o tre minuti e dovrà essere elaborato da un piccolo gruppo di cui un membro si farà poi portavoce. A tale scopo gli studenti, prima di formare dei piccoli gruppi, dovranno cercare dei compagni che condividono la loro opinione sull'argomento.

La riflessione personale

- Alla fine dell'unità, potete facilitare il trasferimento dal generico alla sfera personale di quanto discusso e analizzato svolgendo la seguente attività: fotocopiate la scheda numero 3 a pagina 42 e consegnatene una copia ad ogni studente.

  Il compito consiste nel compilare la scheda tenendo presente il proprio atteggiamento rispetto a quanto indicato. Al termine, invitate gli studenti a riferire i contenuti principali della loro riflessione dando luogo ad una discussione in plenum.

CHIAVI UNITÀ 8

A 1. b, 2. a, 3. a, 4. a, 5. c

B1 *un prezzo molto alto*: alle stelle; *una casa piccola e modesta*: una sistemazione spartana; *non ho problemi con loro*: vado d'accordo con loro; *guadagnare abbastanza per poter vivere*: mantenermi; *lavoro poco*: lavoricchio; *da soli*: per conto nostro

C2 a) a, b) b, c) c

D1 *proficuo*: redditizio, *sollievo*: conforto, *autonomo*: indipendente, *spartano*: semplice, *degno*: meritevole, *simile*: affine

2 *professione*: professionale, *inferno*: infernale, *armonia*: armonioso, *economia*: economico, *commercio*: commerciale, *piacere*: piacevole

E1 adulti, popolazione, fenomeno, tecnico, spesa

3 1. l'adolescenza si allunga, 2. di questa età, 3. di quanto non fossero, 4. il ruolo dei ragazzi, 5. comunque dei lavori stabili, 6. vivono a casa comunque

4 1. a, c; 2. a; 3. b

G1 1. è andata a finire, 2. è andata a monte, 3. sta andando a ruba, 4. andare sul sicuro, 5. è andato a fuoco

2 1. Punizione, 2. donna (madre), 3. che, 4. intenzione, 5. proprio, 6. rivolgersi, 7. convincere, 8. con, 9.

lui, 10. sa, 11. da, 12. li, 13. insieme, 14. lasciato, 15. sera, 16. costretta, 17. fuori, 18. piccole, 19. risposta/replica, 20. quei

H 1. tuo, 2. la mia, 3. i miei, 4. i loro

I lasciare il focolare, in casa propria ognuno è re, fare il gran passo, aprire le ali, vivere sulle spalle, casa dolce casa

Scheda numero 1
Unità 7 – Sezione D

L'_ _ _ _ _ _ _ _ _   _ _ _ _ _ _ _ _ _   _   **l**_ _ _ _ _

N_n _ _   _ _   _ _ _ _   _ _ _   _ _ _   _ _ _ _ _ _ _   _ _ _ _

A_ _ _ _ _   _ _ _ _ _ _ _ _   _ _**a**_ _   _ _ _ _ _ _ _ _ _ _   _**a**   _ _ _ _ _ _ _**a**_ _ _**à**

M_ _ m_ _ _ _   _   _ _ _   _ _ _ _   _ _ _ _ _ _ _ _ _ _

M_ _ _ _ _   _ _   _ _**m**_ _ _ _   _ _ _ _ _ _   _ _   _ _**m**_ _ _ _

A_ _ _ _**a**   _ _ _ _ _ _ _ _ _ _   _ _ _ _ _ _   **a**_ _**a**_ _   **a**   _ _ _ _ _ _   _**a**   _ _ _ _

M_   _ _**m**_ _ _   _ _ _ _   _ _**m**_ _   _ _ _   _ _ _ _ _ _ _

A_ _ _ _   _ _   _ _ _   _**a**_**a**_ _ _   _ _ _ _   _ _   _ _**a**   _ _ _**a**_ _ _ _   _ _ _ _ _ _

L'autonomia economica è lontana.
Non ho il tempo per fare lavoretti extra.
Ai miei genitori piace condividere la quotidianità.
Mia madre è una cuoca straordinaria..
Meglio la famiglia quando c'è armonia.
Appena possibile vorrei andare a vivere da solo.
Mi rimane poco tempo per lavorare.
Anche il mio ragazzo vive in una situazione simile.

Scheda numero 2
Unità 8 – Sezione E

Raddoppia:

Cambiano:

I genitori:

La tendenza:

Fa effetto:

Il fatto tecnico:

A casa i ragazzi possono:

Nell'organizzazione familiare i ragazzi:

I ragazzi che lavorano:

Secondo i risultati della ricerca:

Scheda numero 3
La riflessione personale

Vivo con:

....

....

Mi piacerebbe vivere con:

....

....

Il rapporto di convivenza con i miei genitori è/è stato:

....

....

Sono andato/andrò a vivere da solo:

....

....

Per un giovane è bello vivere con i genitori perché:

....

....

Per un giovane è bello vivere da solo perché:

....

....

Secondo me, per vivere da soli è necessario:

....

....

Consiglio a tutti i giovani di:

....

....

La grammatica in pillole

- La questione grammaticale su cui si intende riflettere nella sezione C riguarda i pronomi relativi *quale* e *cui* preceduti da preposizione. Dopo aver svolto l'attività 1, potete copiare la seguente tabella alla lavagna:

Quella è la ragazza		
Finalmente ho superato quell'esame		
Non ci hai raccontato niente del paese		
Carlo è davvero un uomo		

... tutti sono innamorati!

... avevo tanto studiato!

... vieni!

... ci si può fidare!

- Invitate gli studenti a suggerirvi come completare le frasi in tabella con quelle sottostanti, aggiungendo il pronome relativo e la preposizione adatta, semplice o articolata.

Soluzione: Quella è la ragazza di cui/della quale tutti sono innamorati; Finalmente ho superato l'esame per cui/per il quale avevo tanto studiato, Non ci hai raccontato niente del paese da cui/dal quale vieni; Carlo è davvero un uomo di cui/del quale ci si può fidare.

- A questo punto svolgete l'attività B2 e consultate l'Appendice grammaticale presente nel Quaderno degli esercizi a pagina 108.

- È possibile svolgere l'attività di fissaggio riguardante i pronomi relativi presente nella Guida per l'insegnante di Progetto Italiano 2, con spiegazioni a pagina 23 e scheda a pagina 30.

- La questione grammaticale su cui si intende riflettere nella sezione G è quella relativa alla forma passiva. Sulla base degli esempi presenti nei testi A e B all'interno della sezione B2, invitate gli studenti a riferire le regole principali riguardanti la forma passiva quindi chiedete di formulare delle frasi simili a quelle indicate. Infine, consultate l'Appendice grammaticale presente nel Quaderno degli esercizi a pagina 118, rimandando però ad un altro momento la discussione relativa al *si* passivante.

- È possibile svolgere l'attività di fissaggio riguardante la forma passiva presente nella Guida per l'insegnante di Progetto Italiano 2, con spiegazioni a pagina 124 e scheda a pagina 131.

Lavoriamo sul lessico

- Dopo aver svolto le attività indicate nella sezione E, potete dedicarvi al contenuto della scheda numero 1 a pagina 45. Fotocopiate la scheda e consegnatene una copia ad ogni coppia di studenti. I tre brani riportati sono tratti dai testi A, B e C della sezione B2. Purtroppo però contengono degli errori! Il compito di ogni coppia sarà quello di individuarli e scrivere la parola corretta negli appositi spazi sottostanti. Se volete, potete trasformare l'attività in una gara a tempo. Al termine, procedete con il riscontro in plenum, confrontando i testi della scheda con gli originali.

Ascoltiamo

- Dopo aver svolto le attività nella sezione A, potete dedicarvi al contenuto della scheda numero 2 a pagina 46. Fotocopiate la scheda e consegnatene una copia ad ogni studente. Il compito consiste nel completare le frasi contenute in tabella con le espressioni contenute nella colonna sottostante e contrassegnate da dei numeri, quindi indicare il significato di tali espressioni abbinandole agli elementi contrassegnati da lettere della colonna accanto. Per facilitare l'attività, potete proporre un nuovo ascolto del testo. Al termine, procedete con il riscontro in plenum.

Soluzione: completamento tabella: 2, 4, 6, 3, 5, 1 / abbinamenti: 1. a, 2. e 3. b, 4. c, 5. d, 6. f

La produzione orale

- Dopo aver lasciato agli studenti il tempo per svolgere il role-play indicato al punto 4 della sezione F, chiedete a una coppia di volontari di ripetere la conversazione davanti ai compagni. Al termine, dividete la classe in due gruppi: uno è il difensore del candidato receptionist, l'altro dell'azienda che ha formulato l'offerta. Il compito consiste nel dar luogo ad un dibattito in cui ognuno difende le ragioni del proprio "cliente"!

La riflessione personale

- Alla fine dell'unità, potete facilitare il trasferimento dal generico alla sfera personale di quanto discusso e analizzato svolgendo la seguente attività: fotocopiate la scheda numero 3 a pagina 47 e consegnatene una copia ad ogni studente.

  Il compito consiste nel compilare la scheda tenendo presente il proprio atteggiamento rispetto a quanto indicato. Al termine, invitate gli studenti a riferire i contenuti principali della loro riflessione dando luogo ad una discussione in plenum.

CHIAVI UNITÀ 9

A1 *somiglianze*: entrambe hanno fatto delle esperienze negative nel mondo del lavoro e hanno avuto incarichi discontinui; *differenze*: la donna ha avuto problemi legati alla maternità e l'uomo non è riuscito a trovare un lavoro attinente ai suoi studi

  2 3, 4, 5, 7

B3 1. A, 2. C, 3. A, 4. A, 5. B, 6. C, 7. B, 8. C

C1 A: dalla quale (tesi); B: per il quale (lavoro), da cui (950 euro); C: per cui (professione)

D1 *viene*: a, *tanto che*: a, *il solo*: b, *Porto*: b, *pur con*: a

E1 1. colloquio, posto; 2. requisiti, esperienza; 3. licenziato, pensione; 4. lavoro, ditta; 5. capo, stipendio

  2 1. scientifica, 2. temporaneamente, 3. sacrifici, 4. accesso, 5. qualifica

G A: sono stati ricavati; B: vanno detratte

H 1. ogni, 2. hanno, 3. a, 4. più, 5. non, 6. Agli, 7. di, 8. categoria, 9. almeno, 10. in, 11. tenuti/obbligati /costretti, 12. lavoro, 13. più, 14. compilare/giocare, 15. inferiore, 16. disposizione, 17. essere, 18. altrove (lontano), 19. vantaggi/privilegi, 20. facciano (accada)

Scheda numero 1
Unità 9 – Sezione B

Testo A

> Ho 30 anni e mi sono sempre ocupata di ricerca scentifica. A 23 anni (quindi in corzo) mi sono laureata in biologia con 110 e lode e un'ottima tesi dalla cuale sono stati ricavati tre aticoli, pubblicati su riviste internazzionali. Poi ho vinto un dottorato di ricerca e subbito dopo sono partita per l'estero. Ho lavorato in Svezia per quasi quattro anni, ho pubbicato 8 lavori e inparato moltissimo. Da due anni sono tornata in Italia e lavoro all'universita.

....

....

Testo B

> Ma oggi i titoli non bastano, tanto ce nonostante un buono curiculum aricchito anche da esperiense profesionali mi ritrovo a fare un lavoro per il quale mi sarebbe bastato il solo diploma: guadagnio 950 euro al mese da cui vanno detratte le spese de trasporto. Come si puo essere contenti, quando si studia e il titolo vale meno di gnente e quando si guadagna il minimo per vivere?

....

....

Testo C

> Superato l'esame di Stato, ho avviato uno studio inzieme a una altro collega per scoprire, circa due anni dopo, che il lavoro svolto non riuschiva a coprire le spese. Chiudemo lo studio ed entrambi ricercammo e trovammo un'impiego in banca. Or sono dirigente di un gramde gruppo creditizio nazionale con grosse soddisfazioni economiche e professionali, ma con il ramarico di non aver potuto, pur con la miriade dei sagrifici fatti, esercitare la professione per qui mi ero preparato.

....

....

Scheda numero 2
Unità 9 – Sezione A

.... che di maternità ho preso forse il 43, 44% della busta paga.
Lavoro per una cooperativa che mi manda a lavorare ....
Ho 28 anni e al momento lavoro come .... impaginatore.
Per quanto tempo ha provato a cercare un lavoro ....a quello che aveva studiato.
Erano borse di studio all'interno dell'Università però molto ....
Ho deciso di .... alla mia formazione.

1) dare un cambio radicale

2) a parte il fatto che

3) attinente

4) a destra e a manca

5) intermittenti

6) freelance

a) fare una cosa completamente diversa

b) collegato, riguardante

c) in ogni luogo

d) non continue

e) senza considerare che

f) libero professionista

Scheda numero 3
La riflessione personale

La mia occupazione del momento:
....
....

I vantaggi della mia attuale occupazione:
....
....

Gli svantaggi della mia attuale occupazione:
....
....

In passato ho lavorato come:
....
....

In futuro vorrei lavorare come ... / per ... / in ... / a ... /:
....
....

Ciò che considero importante in un lavoro:
....
....

Se potessi cambiare tutto, vorrei fare il/la:
....
....

Come si potrebbe aiutare i giovani ad inserirsi nel mondo del lavoro:
....
....

La grammatica in pillole

- La questione grammaticale su cui si intende riflettere nella sezione C riguarda la posizione dell'aggettivo. Dopo aver svolto l'attività 1, potete scrivere alcuni esempi alla lavagna tratti dall'Appendice grammaticale a pagina 105 del Quaderno degli esercizi:

un vecchio amico   *un amico vecchio*
un paese bellissimo   *un bellissimo paese*
un buon avvocato   *un avvocato buono*
diversi ragazzi   *ragazzi diversi*

i capelli profumati
un tavolo piccolino
il biglietto vincente

- Invitate gli studenti a discutere in plenum: come cambia il significato dell'aggettivo a seconda della sua posizione nei primi quattro casi? Perché negli ultimi tre casi l'aggettivo non può precedere il sostantivo? Dopo che gli studenti avranno ripetuto le regole grammaticali o formulato le loro ipotesi, invitateli a consultare l'Appendice grammaticale allo scopo di confermare o meno quanto finora discusso.

- La questione grammaticale su cui si intende riflettere nella sezione F è quella relativa ai tempi Imperfetto e Trapassato Prossimo del modo indicativo. Dopo aver svolto l'attività indicata, potete utilizzare le schede numero 2 e numero 3 a pagina 101 e 102 della guida per l'insegnante di Progetto Italiano 1 come spunto per una ripetizione attiva dell'argomento. Infine, consultate l'Appendice grammaticale presente nel Quaderno degli esercizi a pagina 114.

Lavoriamo sul lessico

- Dopo aver svolto le attività indicate nella sezione D, potete dedicarvi al contenuto della scheda numero 1 a pagina 50. Fotocopiate la scheda e consegnatene una copia ad ogni coppia di studenti. Il compito consiste nell'individuare, per ogni riga della tabella, una coppia di parole scelte tra quelle sottostanti e tutte tratte dal testo del punto A, che possa essere collegata a quanto scritto nella colonna di sinistra.
Se volete, potete trasformare l'attività in una gara a tempo. Al termine, procedete con il riscontro in plenum.
Soluzione dall'alto al basso: capelli/occhi; montagna/campagna; Londra/Parigi; aerei/navi; colonne/crocefissi; fiumi/pozzanghere; tigri/leoni; odori/rumori; Bertham Street/Pont Neuf; anima/ragione; Dio/diavolo, balla/storia; estate/neve.

La produzione orale

- Dopo aver svolto le attività indicate nella sezione E, potete proporre quanto segue: dar vita ad un pezzo teatrale in cui uno studente impersona Novecento e due o tre compagni si immedesimano in viaggiatori della nave che lo incontrano e gli raccontano della loro città o di un loro viaggio. *Novecento*, come si vedrà alla sezione G, è un testo nato come monologo teatrale. In questo caso vogliamo ritornare al teatro, ma con degli scambi di battute tra i vari personaggi. Sarà necessario quindi dividersi in gruppi all'interno dei quali si distribuiranno i ruoli: uno studente impersonerà Novecento e gli altri si immedesimeranno in vari tipi di viaggiatori a seconda della loro fantasia, con diverse provenienze e altrettanto diversi e fantastici racconti di luoghi ed esperienze da condividere con il protagonista, assetato di conoscere per bocca degli altri. Sarà necessario fare le prove in base a un filo conduttore del discorso deciso di comune accordo. Dopodiché, ogni gruppo darà luogo alla propria "recita" per i compagni.

Ascoltiamo

- Dopo aver svolto le attività 1 e 2 indicate nella sezione G, potete dedicarvi al contenuto della scheda numero 2 a pagina 51. Fotocopiate la scheda e ritagliate i tre brani del monologo ascoltato lungo le linee tratteggiate. Disponete le tre strisce sulla cattedra, dividete la classe in tre gruppi, fateli posizionare alla stessa distanza dalla cattedra e consegnate ad ognuno un foglio bianco e una penna. Assegnate ad ogni gruppo una striscia e spiegate il compito. Si tratta di trascrivere sul foglio bianco il testo assegnato. Quest'ultimo però rimane sul piano della cattedra. Per far ciò i componenti del gruppo, a turno, dovranno recarsi alla cattedra, leggere e memorizzare quanto più testo possibile e tornare alla propria postazione a dettarlo ad un compagno. Ponete come regola fondamentale il trasferimento di informazione dal messaggero allo scrivente. Date alla classe quattro o cinque minuti di tempo per la trascrizione a staffetta e al termine procedete con il riscontro in plenum, consegnando ad ogni gruppo o ad ogni studente una fotocopia del testo integrale.

La riflessione personale

- Alla fine dell'unità, potete facilitare il trasferimento dal generico alla sfera personale di quanto discusso e analizzato svolgendo la seguente attività: fotocopiate la scheda numero 3 a pagina 52 e consegnatene una copia ad ogni studente.

Il compito consiste nel compilare la scheda tenendo presente il proprio atteggiamento rispetto a quanto indicato. Al termine, invitate gli studenti a riferire i contenuti principali della loro riflessione dando luogo ad una discussione in plenum.

CHIAVI UNITÀ 10

A1 1. c, 2. a, 3. c, 4. d, 5. b

B *viaggiava in molti luoghi*: finiva in un posto diverso; *precisamente*: con assoluta esattezza; *non c'è dubbio*: niente da dire; *con molta attenzione*: con cura infinita; *suonava il pianoforte*: le dita gli scivolavano sui tasti

C Si possono invertire *paese bellissimo, piccolo pezzo, stupida ragione*, ma non *capelli profumati*

D1 1. clarinetto-c; 2. fisarmonica-g; 3. pianoforte-f; 4. chitarra-e; 5. flauto-b; 6. violino-a, 7. sassofono-d; 8. batteria-h

  2 *matto*: pazzo, *diverso*: uguale, *odore*: profumo, *enorme*: gigantesco, *semplice*: complicato, *avanti*: indietro, *rumore*: silenzio, *ragione*: motivo, *tramonto*: alba

F 1. era, avevi visto, avevi mangiato; 2. l'aveva visto

G1 emigranti e gente strana, 2. il cuore a mille, 3. come se avesse dovuto, 4. ce n'è uno, 5. istante stampato nella vita, 6. dentro a quel grido

  2 1. a, 2. b, 3. a

H 1. raccontassero, 2. incominciò, 3. sembrava, 4. si girava, 5. si fermava, 6. capivo, 7. era, 8. so, 9. capii, 10. facendo

I andare alla ventura, viaggio della speranza, aver trovato l'America

Scheda numero 1
Unità 10 – Sezione D

in testa:		
verde o rocciosa:		
capitali:		
per il trasporto:		
in chiesa:		
d'acqua:		
animali:		
percepibili:		
a Londra e Parigi:		
razionale e irrazionale:		
paradiso e inferno:		
vero o falso:		
con il caldo e con il freddo:		

ragione	crocefissi
Bertham Street	occhi
montagna	Londra
tigri	colonne
navi	Dio
aerei	fiumi
pozzanghere	leoni
Parigi	diavolo
capelli	neve
rumori	anima
balla	Pont Neuf
odori	storia
estate	campagna

Scheda numero 2
Unità 10 – Sezione G

Succedeva sempre che a un certo punto uno alzava la testa... e la vedeva. È una cosa difficile da capire. Voglio dire... Ci stavamo in più di mille, su quella nave, tra ricconi in viaggio, e emigranti, e gente strana, e noi... Eppure c'era sempre uno, uno solo, uno che per primo... la vedeva. Magari era lì che stava mangiando, o passeggiando, semplicemente, sul ponte... magari era lì che si stava aggiustando i pantaloni... alzava la testa un attimo, buttava un occhio verso il mare... e la vedeva.

E allora si inchiodava, lì dov'era, gli partiva il cuore a mille, e, sempre, tutte le maledette volte, giuro, sempre, si girava verso di noi, verso la nave, verso tutti, e gridava: l'America. Poi rimaneva lì, immobile come se avesse dovuto entrare in una fotografia, con la faccia di uno che l'aveva fatta lui, l'America. Quello che per primo vede l'America. Su ogni nave ce c'è uno. E non bisogna pensare che siano cose che succedono per caso, no... e nemmeno per una questione di diottrie, è il destino, quello.

Quella è gente che da sempre c'aveva già quell'istante stampato nella vita. E quando erano bambini, tu potevi guardarli negli occhi, e se guardavi bene, già la vedevi, l'America, già lì pronta a scattare, a scivolare giù per nervi e sangue e che so io, e da lì fin dentro al cervello e poi fino alla lingua, fin dentro a quel grido, AMERICA!!!!, c'era già in quegli occhi di bambino tutta l'America, lì ad aspettare.

Scheda numero 3
La riflessione personale

Il mio viaggio più bello:

....

....

Il mio viaggio più brutto:

....

....

Un'esperienza di viaggio piuttosto singolare:

....

....

Durante quel viaggio ho imparato una cosa importante:

....

....

Durante quel viaggio ho conosciuto una persona importante:

....

....

Una volta ho letto/ascoltato un bellissimo racconto di viaggio:

....

....

Un oggetto riportato da un viaggio e a cui sono particolarmente affezionato:

....

....

Un giorno andrò:

....

....

La grammatica in pillole

- La questione grammaticale su cui si intende riflettere nella sezione C riguarda i vari usi di *ne*. Dopo aver svolto le attività indicate, potete scrivere quanto segue alla lavagna:

partitivo	*Antonio se ne sta tutto il giorno in spiaggia.* *- Quante e-mail ricevi al giorno? - Ne ricevo parecchie.*
di qualcosa/qualcuno	*- È così brutta la situazione? - Sì, e non so come uscirne.*
da un luogo/una situazione	*Vattene! Non ti voglio più vedere!* *Gli hai parlato del prestito? Sì, ma non ne vuole sapere.*
verbo pronominale	*Mi piacciono molto i libri di Moravia; ne ho letti quattro o cinque.* *Hanno speso tanti milioni per capire che non ne valeva la pena.*

Le frasi sono tratte dall'Appendice grammaticale presente nel Quaderno degli esercizi a pagina 110. Invitate gli studenti ad associarle con i vari usi del *ne* elencati, quindi consultate la suddetta appendice.

- La questione grammaticale su cui si intende riflettere nella sezione G è quella relativa alla concordanza dei tempi quando la frase principale e la secondaria presentano entrambe il modo indicativo. A tale scopo, dopo aver svolto l'attività indicata, potete consultare l'Appendice grammaticale presente nel Quaderno degli esercizi a pagina 124.

Lavoriamo sul lessico

- Dopo avere svolto le attività indicate nella sezione D, potete dedicarvi al contenuto della scheda numero 1 a pagina 55. Fotocopiate la scheda e consegnatene una copia ad ogni coppia di studenti. Il compito consiste nell'abbinare le parole numerate a centro pagina, tutte estratte dai testi a pagina 64, ai loro contrari presenti all'interno dei fumetti, scrivendo in ogni fumetto il numero corrispondente alla relativa parola. Possibilmente dovrebbe trattarsi di una gara a tempo! Al termi-

ne, procedete con il riscontro in plenum.
Soluzione: finisce/inizia, giovane/vecchio, mandare/ricevere, vera/falsa, dipendenza/indipendenza, speso/guadagnato, lavoro/ozio, scoperto/coperto, maggioranza/minoranza, chiedi/rispondi, conforto/sconforto, dolore/gioia, ammesso/negato, giorno/notte, seria/allegra, attenta/distratta, causa/effetto, probabilità/sicurezza (certezza), smodato/misurato, amici/nemici, simile/diverso, eccessivo/scarso.

Ascoltiamo

- Dopo aver svolto le attività 1, 2 e 3 della sezione E, potete dedicarvi al contenuto della scheda numero 2 a pagina 56. Fotocopiate la scheda, consegnatene una copia ad ogni studente. Fate ascoltare nuovamente l'intervista e invitate gli studenti a numerare le frasi ed espressioni a seconda dell'ordine in cui compaiono nel corso della conversazione. Al termine, procedete con il riscontro in plenum,
Soluzione: 6, 7, 8, 13, 10, 3, 12, 14, 5, 2, 4, 1, 11, 9

La produzione orale

- Dopo aver svolto le attività indicate nella sezione F, scrivete alla lavagna le seguenti frasi:

  come è bello dimenticare il telefonino a casa
  senza telefonino non saprei come fare

- Invitate gli studenti a disporsi vicino alla frase nella quale si riconoscono maggiormente. Qualora tutti si riconoscano nella stessa frase, chiedete a qualcuno di immedesimarsi nella frase non prescelta per formare comunque due gruppi. Ogni gruppo preparerà un'esposizione in cui illustrerà i motivi della propria "presa di posizione" e al termine si darà luogo ad un dibattito sul tema "telefonini sempre / telefonini a volte".

La riflessione personale

- Alla fine dell'unità, potete facilitare il trasferimento dal generico alla sfera personale di quanto discusso e analizzato svolgendo la seguente attività: fotocopiate la scheda numero 3 a pagina 57 e consegnatene una copia ad ogni studente.
Il compito consiste nel compilare la scheda tenendo presente il proprio atteggiamento rispetto a quanto indicato. Al termine, invitate gli studenti a riferire i contenuti principali della loro riflessione

dando luogo ad una discussione in plenum.

CHIAVI UNITÀ 11

Per cominciare...

A dipendenza, capufficio, inviato, messaggio; B: bloc-
cato, pediatra, dolori, soccorso

A1 1. B, 2. B, 3. A, 4. A, 5. B, 6. B, 7. A, 8. B, 9. B, 10. A

B 1. farne a meno, 2. vera e propria, 3. nell'arco, 4. da-
vano conforto, 5. dovuti alla, 6. ogni probabilità, 7. è
finito

D1 1. lamentele, 2. dipendenza, 3. confortevole, 4. indagine, 5. inizialmente, 6. dolorosa, 7. eccesso, 8. continuazione

2 1. telefonata, 2. messaggio, 3. segreteria, 4. batteria, 5.
squillo

E2 1. a, 2. c, 3. c, 4. d

3 in ordine: frase n. 3, 4, 1, 2

G a. il ragazzo ha lasciato il posto di lavoro dopo che
il capoufficio ha scoperto che aveva inviato 8.000
email

b. il ragazzo lascerà il posto di lavoro dopo che il
capoufficio avrà scoperto che ha inviato...

H 1. c, 2. a, 3. b, 4. b, 5. a, 6. b, 7. a, 8. c, 9. c, 10. a,
11. d

Scheda numero 1
Unità 11 – Sezione D

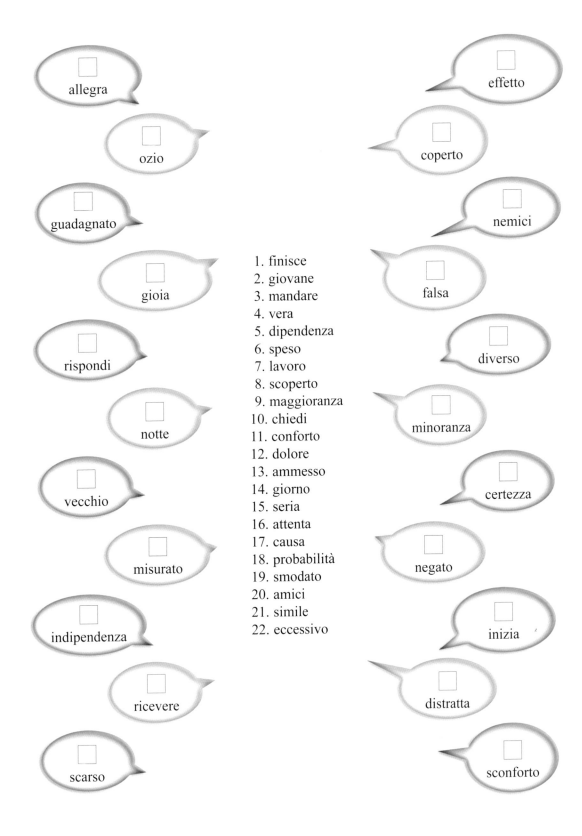

allegra

ozio

guadagnato

gioia

rispondi

notte

vecchio

misurato

indipendenza

ricevere

scarso

effetto

coperto

nemici

falsa

diverso

minoranza

certezza

negato

inizia

distratta

sconforto

1. finisce
2. giovane
3. mandare
4. vera
5. dipendenza
6. speso
7. lavoro
8. scoperto
9. maggioranza
10. chiedi
11. conforto
12. dolore
13. ammesso
14. giorno
15. seria
16. attenta
17. causa
18. probabilità
19. smodato
20. amici
21. simile
22. eccessivo

Scheda numero 2
Unità 11 – Sezione E

☐   prima di tutto buonasera

☐   questo ha delle controindicazioni

☐   senza dover ricorrere alla mamma

☐   si abituano ad essere in un'altra dimensione

☐   una forma di emancipazione per modo di dire

☐   è andata a finire che....

☐   non puoi cavartela da solo

☐   viene impiegato in maniera massiccia

☐   si trovano ad averne fatto dei bambini dipendenti

☐   sono schiavi del cellulare

☐   avere una sorta di guinzaglio elettronico

1   passiamo a parlare dei bambini

☐   gli si dà un messaggio implicito

☐   se teniamo conto che

Scheda numero 3
La riflessione personale

Ho comprato/non ho comprato il telefonino perché:

....

....

Del telefonino mi piace/non mi piace:

....

....

In genere uso il telefonino/il telefono per:

....

....

In media parlo al telefono/telefonino per .... ore/minuti al giorno:

....

....

Comprerei/non comprerei un telefonino ad un bambino perché:

....

....

Gli SMS ed io:

....

....

Mi piace/non mi piace ricevere messaggi da:

....

....

Sarebbe bello se con il telefonino si potesse:

....

....

La grammatica in pillole

- La questione grammaticale su cui si intende riflettere nella sezione C riguarda le preposizioni articolate. Dopo aver svolto l'attività indicata, potete scrivere quanto segue alla lavagna:

del	*alla*	*dai*	*negli*
sulle	*per l'*	*con il*	*tra le*

- Invitate gli studenti a lavorare in coppia: il compito consiste nello scrivere otto frasi, ognuna delle quali deve contenere una delle preposizioni articolate scritte alla lavagna. Se volete, potete trasformare l'attività in una gara a tempo. Al termine, procedete con il riscontro in plenum e consultate l'Appendice grammaticale presente nel quaderno degli esericizi a pagina 113.

- La questione grammaticale su cui si intende riflettere nella sezione G è quella relativa ai prefissi verbali. Dopo aver svolto l'attività indicata, potete consultare l'Appendice grammaticale presente nel Quaderno degli esercizi a pagina 122.

Lavoriamo sul lessico

- Dopo aver svolto le attività indicate nella sezione D, potete dedicarvi al contenuto della scheda numero 1 a pagina 60. Fotocopiate la scheda e consegnatene una copia ad ogni coppia di studenti. Il compito consiste nell'individuare, per ogni parola scritta in neretto e tratta dal racconto a pagina 70, la sola parola che potrebbe sostituirla, scegliendola tra quelle date. Le parole sono numerate seguendo l'ordine in cui appaiono nel testo. Naturalmente la sostituzione della parola non deve assolutamente alterare il significato della frase. Se volete, potete trasformare l'attività in una gara a tempo! Al termine, procedete con il riscontro in plenum.

Soluzione: 1. giudizio, 2. rumorose, 3. si univano, 4. la irritava, 5. eccitata, 6. folla, 7. scusa, 8. ingiusto, 9. dolore, 10. tifosissimi

Ascoltiamo

- Dopo aver svolto le attività della sezione E, potete dedicarvi al contenuto della scheda numero 2 a pagina 61. Fotocopiate la scheda e consegnatene una copia ad ogni coppia di studenti. Fate ascoltare nuovamente l'intervista una o due volte e invitate gli studenti a scrivere sotto ogni vignetta i pezzi delle frasi dette dalla tifosa intervistata che si riferiscono a quanto illustrato. Al termine, procedete con il riscontro in plenum.

Soluzione: 1. sono andata allo stadio sin da piccola, 2. la tua squadra va in trasferta, 3. le partite sono in casa, 4. mi sono sentita poco protetta, 5. scortata da celerini, 6. non mi considero un animale, 7. tifoso juventino, 8. i cori che si alzano allo stadio

La produzione orale

- Dopo aver svolto le attività indicate nella sezione F, dividete la classe in gruppi di quattro o cinque persone cercando di far riunire studenti che condividano la passione per uno sport o, meglio ancora, per una squadra. Dopo aver discusso i lati problematici del tifo sportivo, invitateli a esternare le gioie della passione per uno sport. Il compito consiste nel formulare degli slogan o delle frasi per dei cori che possano essere recitati o cantati in gruppo al fine di sostenere la propria squadra. Naturalmente dovranno essere in rima e avere un carattere scherzoso o appassionato e comunque assolutamente positivo e corretto! Lasciate quindi che i tifosi mettano a punto i loro slogan e invitateli poi a recitarli o... cantarli!

La riflessione personale

- Alla fine dell'unità, potete facilitare il trasferimento dal generico alla sfera personale di quanto discusso e analizzato svolgendo la seguente attività: fotocopiate la scheda numero 3 a pagina 62 e consegnatene una copia ad ogni studente.

Il compito consiste nel compilare la scheda tenendo presente il proprio atteggiamento rispetto a quanto indicato. Al termine, invitate gli studenti a riferire i contenuti principali della loro riflessione dando luogo ad una discussione in plenum.

CHIAVI UNITÀ 12

A1 1. c, 2. d, 3. b, 4. a, 5. b

B 1. di colpo, 2. sotto i miei occhi, 3. l'alibi, 4. ultra, 5. in colpa

C dei, del, delle, con gli, alla, dei, degli, per il, alla, allo, per la, coi, alla, alla, del, del, della, dell', degli, al, tra le, del, al, dalla, per le

D1 a. corsa, b. ciclismo, c. pallavolo, d. nuoto, e. pugilato, f. equitazione, g. salto in alto, h. salto in lungo, i. scherma, l. pallacanestro

2 1. sportivo, partita; 2. tifosi, allenatore; 3. professionisti, allenarsi; 4. medaglia, primato; 5. palestra, forma

E3 2, 3, 5, 8

G imbruttire, innamorarsi, indebolire, ingrandire, innervosire, abbellire, abbottonare, avvicinarsi, appassionarsi, approfondire

H 1. tante/molte, 2. cui, 3. che, 4. quelli/coloro, 5. che, 6. ogni, 7. tante, 8. qualche, 9. lo, 10. chi, 11. questo, 12. in cui, 13. tutto, 14. che, 15. si, 16. si, 17. che, 18. gli

Scheda numero 1
Unità 12 – Sezione D

1 **bilancio** conto equilibrio saldo giudizio rapporto	**6** **pienone** disordine pieno confusione folla caldo
2 **chiassose** rumorose allegre numerose fumose frequenti	**7** **alibi** storia scusa bugia finzione testimonianza
3 **si mescolavano** si nascondevano si accalcavano si spingevano si univano si proteggevano	**8** **parziale** piccolo incompleto giusto venduto ingiusto
4 **la infastidiva** la rimbombava le piaceva le doleva la irritava la annoiava	**9** **pena** ferita dolore penna ricordo rimpianto
5 **concitata** stridula eccitata commossa elevata fastidiosa	**10** **ultras** tifosissimi ribelli avversari violenti affezionati

Scheda numero 2
Unità 12 – Sezione E

1

....
....

2

....
....

3

....
....

4

....
....

5

....
....

6

....
....

7

....
....

8

....
....

Scheda numero 3
La riflessione personale

Il mio sport preferito:

....

....

Preferisco fare lo sport / guardare gli altri che lo fanno perché ...:

....

....

In passato ho praticato i seguenti sport:

....

....

Questo sport mi annoia perché:

....

....

Secondo me il calcio è molto popolare perché:

....

....

Per risolvere il problema della violenza negli stadi bisognerebbe ...:

....

....

Per me la più grande stella dello sport di tutti i tempi è:

....

....

In futuro mi piacerebbe praticare questo sport perché:

....

....

Ascoltiamo

- Dopo aver svolto le attività 1e 2 della sezione A, potete dedicarvi al contenuto della scheda numero 1 a pagina 65. Dividete la classe in gruppi di quattro o cinque persone, fotocopiate la scheda e consegnatene una copia ad ogni gruppo di studenti. Fate ascoltare nuovamente l'intervista una volta, invitando gli studenti a concentrarsi soprattutto sul notevole uso di linguaggio figurato che si fa negli oroscopi. La scheda riporta alcune espressioni che potrebbero essere dette in altri termini: invitate i gruppi a riformulare le frasi indicate parafrasandole in un linguaggio più concreto. Insomma, se invece che in un oroscopo, i consigli e le frasi comparissero in una conversazione tra amici, quali espressioni preferirebbero usare gli studenti al posto di quelle date? Lasciate ai gruppi il tempo per riformulare e al termine procedete con il riscontro in plenum, cercando di annotare le formulazioni che maggiormente si avvicinano al significato di quelle ascoltate.

La grammatica in pillole

- La questione grammaticale su cui si intende riflettere nella sezione D riguarda i prefissi nominali e aggettivali. Dopo aver svolto le attività indicate, potete proporre la seguente tabella alla lavagna:

spazio	tempo
sotto-	*pre-*
intensità	negazione
stra-	*dis-*

- Lasciatevi suggerire dagli studenti delle parole in cui compaiano i prefissi in tabella, ad esempio *sottopassaggio*, *prebellico*, *stracarico*, *discontinuo*. Scrivete quindi altri prefissi alla rinfusa:

  *extra-   poli-   sub-   arci-   in-
  non-   s-   infra-   sovra-*

- Invitate gli studenti a inserire i prefissi scritti alla lavagna e quelli utilizzati durante l'attività D2 nella giusta colonna della tabella alla lavagna,

magari pensando anche a delle parole che li contengano per meglio individuarne il significato. Al termine, procedete con il riscontro in plenum confrontando la tabella con quanto riportato dall'Appendice grammaticale presente nel Quaderno degli esercizi a pagina 106.

- La questione grammaticale su cui si intende riflettere nella sezione H è quella relativa ad alcune categorie di avverbi. Dopo aver svolto l'attività indicata, potete consultare l'Appendice grammaticale presente nel Quaderno degli esercizi a pagina 111-112.

Lavoriamo sul lessico

- Dopo aver svolto l'attività indicata nella sezione E, potete dedicarvi al contenuto della scheda numero 2 a pagina 66. Fotocopiate la scheda e consegnatene una copia ad ogni coppia di studenti. Il compito consiste nel completare le frasi estratte dal testo della sezione B individuando la parola che corrisponde alla definizione contenuta nel fumetto. Se volete, potete trasformare l'attività in una gara a tempo! Al termine, procedete con il riscontro in plenum.

Soluzione: parodia, risate, superstizione, oroscopo, stelle, astrologo, mensile, incognite, diavolo, salute, consigli, illusioni

La produzione orale

- Dopo aver svolto le attività indicate nella sezione F, fate lavorare gli studenti in coppia. Il compito consiste nel formulare una serie di previsioni per il proprio compagno con l'unico obiettivo di renderlo il più contento possibile, cercando quindi di indovinare quali sono le cose che effettivamente vorrebbe sentirsi dire riguardo a se stesso e al futuro. Al termine, ogni compagno potrà dare un voto da 1 a 10 esternando il livello di gradimento dell'oroscopo ascoltato. Quale "astrologo" ha ottenuto il punteggio più alto?

La riflessione personale

- Alla fine dell'unità, potete facilitare il trasferimento dal generico alla sfera personale di quanto discusso e analizzato svolgendo la seguente attività: fotocopiate la scheda numero 3 a pagina 67 e consegnatene una copia ad ogni studente. Il compito consiste nel compilare la scheda tenendo presente il proprio atteggiamento rispetto a quanto indicato.

Al termine, invitate gli studenti a riferire i contenuti principali della loro riflessione dando luogo ad una discussione in plenum.

CHIAVI UNITÀ 13

Per cominciare...

A Sagittario – c, Cancro – g, Leone – e, Vergine – l, Pesci – b, Bilancia – m, Ariete – i, Scorpione – a, Gemelli – f, Capricorno – d, Acquario – h, Toro – n

A1 appoggio, emicrania, sospira, calore

2 Gemelli: relazioni personali: rinnovamenti, lavoro: bene, salute: stress; Cancro: relazioni personali: bene il pomeriggio, lavoro: bene-ottimo, salute: emicrania; Leone: lavoro: possibilità nuove; Vergine: relazioni personali: più calore, lavoro: insoddisfazione

B2 2, 6, 7, 10

C1 1. show, 2. presentate, 3. clienti, 4. collegamento, 5. logica

2 1. avrebbe detto tra sé, 2. maghi delle stelle, 3. da meno, 4. boom, 5. per merito, 6. complicazioni

D1 in entrambe compare un prefisso

2 Es: controcorrente, vicedirettore, superinteressante, multimilionario, ultracentenario

G 1. bimestrale, 2. previsioni, 3. del, 4. avrei, 5. sta'/stai, 6. stata, 7. nonostante/sebbene/malgrado, 8. ricordo, 9. qualcuno, 10. avvertimento/oroscopo, 11. quelli/i, 12. ritroverete/incontrerete, 13. che, 14. allora, 15. mi, 16. agli, 17. cominciato/iniziato, 18. fosse, 19. a, 20. di nuovo

Scheda numero 1
Unità 13 – Sezione A

sentite la mancanza dell'appoggio

....

nel cielo è pronunciato il richiamo del lontano

....

mantenere la freddezza nei rapporti con gli altri

....

è stato tutto impostato in maniera frettolosa

....

la sfera della vita privata diventa leggera

....

una spalla su cui posare la vostra testa

....

questo momento è una fase rinnovativa

....

non scattare per niente

....

il cuore forse qualche volta sospira

....

Scheda numero 2
Unità 13 – Sezione E

> Riproduzione in chiave ironica
> di un testo o di uno stile.

- Il conduttore ha fatto la .... dell'oroscopo.

> Manifestazioni sonore di allegria
> e divertimento.

- La gente moriva dalle ....

> Credenza nell'influsso di fattori extraterreni
> o magici sulle vicende umane.

- Ma guarda come sono esenti da .... questi terrestri.

> Previsione del destino di una persona
> in base alla sua nascita e alle stelle.

- All' .... la gente crede.

> Corpo celeste dotato di luce propria
> perchè incandescente.

- La gente ha disperato bisogno di certezze perciò ci si affida alle ....

> Chi fa oroscopi o previsioni
> interpretando le stelle.

- Papi e imperatori avevano l' .... di fiducia.

> Periodico che si pubblica
> ogni 30 /31 giorni.

- Il .... "Astra" vende 150.000 copie.

> Situazione che non offre sicurezza
> circa la riuscita o l'esito futuro.

- Il boom dell'astrologia risponde al bisogno di dare un perché alle .... della vita.

> Lo spirito del male che
> si contrappone a Dio.

- Ci si affida all'irrazionale, all'occulto mandando al .... la ragione.

> Condizione di benessere
> psichico e fisico.

- L'oroscopo della Telecom si preoccupa anche della nostra ....

> Suggerimento frutto dell'esperienza
> e delle capacità individuali.

- Sono .... che vanno bene per tutti.

> Proiezione immaginaria
> di elementi non reali.

- E senza le .... cosa sarebbe mai la vita?

Scheda numero 3
La riflessione personale

Credo/non credo agli astrologi perché:

....

....

Il mio segno zodiacale e le sue caratteristiche:

....

....

Mi riconosco/non mi riconosco nelle caratteristiche del mio segno perché:

....

....

Mi piace/non mi piace leggere l'oroscopo perché:

....

....

Le persone a me più care sono dei seguenti segni zodiacali:

....

....

Vado d'accordo/non vado d'accordo con i seguenti segni:

....

....

Se potessi chiedere tre cose per il mio futuro, vorrei:

....

....

Se potessi scegliere tre cose per il futuro del mondo, vorrei:

....

....

La grammatica in pillole

- La questione grammaticale su cui si intende riflettere nella sezione B1 è quella relativa ad alcuni tipi di connettivi. Dopo aver svolto l'attività indicata, consultate l'Appendice grammaticale presente nel Quaderno degli esercizi a pagina 112.

- La questione grammaticale su cui si intende riflettere nel punto 2 della sezione B è quella relativa all'espressione *essere sul punto di / stare per* + infinito. Dopo aver svolto l'attività indicata, riflettete sul significato di tale espressione: la si può utilizzare per indicare un evento che accadrà entro brevissimo tempo. Ciò si può esprimere con diverse espressioni che potete scrivere alla lavagna, ad esempio:

essere sul punto di
essere in procinto di
stare per + infinito

- Potete quindi formulare una serie di esempi relativi ad eventi che accadranno in uno spazio di tempo breve, ad esempio: *la lezione sta per finire* ecc. Infine, potete consultare l'Appendice grammaticale presente nel Quaderno degli esercizi a pagina 122, nella sezione *stare per* + infinito.

Lavoriamo sul lessico

- Dopo aver svolto le attività indicate nella sezione D, potete dedicarvi al contenuto della scheda numero 1 a pagina 70. Fotocopiate la scheda e consegnatene una copia ad ogni coppia di studenti. Il compito consiste nel riscrivere il brano tratto dal testo della sezione A da cui sono stati eliminati tutti gli spazi, gli accenti e la punteggiatura. Se volete, potete trasformare l'attività in una gara a tempo. Al termine, procedete con il riscontro in plenum, confrontando quanto scritto con il brano del testo.

Ascoltiamo

- Dopo aver svolto le attività 1 e 2 della sezione F, potete dedicarvi al contenuto della scheda numero 2 a pagina 71. Fotocopiate la scheda e consegnatene una copia ad ogni coppia di studenti. Il compito consiste nell'associare le parole in tabella, estratte dal brano ascoltato, ai sinonimi o alle definizioni sottostanti. Al termine, procedete con il riscontro in plenum, quindi fate ascoltare nuova-

mente il brano e chiedete agli studenti se l'attività li ha effettivamente aiutati a migliorare la comprensione complessiva del testo.

Soluzione: cedere - 5, allucinazione - 6, trasse -1, simulando - 11, pupille - 25, ordigno - 28, osò - 17, allarmante - 3, macchinista - 18, turbine - 2, inquieta - 7, anelando - 19, convoglio - 10, sventolava - 22, repentino - 8, brandello - 15, testata - 21, verso - 27, fuga - 14, sorte - 23, tettoie - 20, banchine - 26, penombra - 13, si eclissava - 16, brivido - 9, vitree - 4, volte - 12, vacua - 24

La produzione orale

- Dopo aver svolto le attività indicate nella sezione G, invitate gli studenti a concentrarsi sui brani del lungo racconto di Dino Buzzati magari rileggendoli e riascoltandoli. Chiedete quindi di lavorare in coppia e di riassumere oralmente il racconto. Al termine ascoltate un paio di riassunti.

La riflessione personale

- Alla fine dell'unità, potete facilitare il trasferimento dal generico alla sfera personale di quanto discusso e analizzato svolgendo la seguente attività: fotocopiate la scheda numero 3 a pagina 72 e consegnatene una copia ad ogni studente.

Il compito consiste nel compilare la scheda tenendo presente il proprio atteggiamento rispetto a quanto indicato. Al termine, invitate gli studenti a riferire i contenuti principali della loro riflessione dando luogo ad una discussione in plenum.

CHIAVI UNITÀ 14

B1 1. ma, 2. eppure, 3. invece, 4. allora

2 stava per addormentarsi

C1 volò via, 2. facendosi delle mani portavoce, 3. il direttissimo filava, 4. togliendo loro la pace della vita, 5. inconsueta animazione, 6. i compagni di viaggio

2 *Soluzioni possibili*: è successo/accadde per caso, persone non istruite, tramite quell'uomo, sembravano, un insolito viavai

D1 *sinonimi*: godersi/ gustarsi, straordinario/splendido, togliere/ sottrarre

contrari: osare/esitare, presumere/verificare, medesimo/diverso, inconsueto/solito

nessuna relazione: scrutare/ascoltare, meraviglioso/immenso, badare/interessarsi

2 1. capostazione, binario, 2. controllore, scompartimento, 3. ferrovie, tariffe, 4. multa, convalidato, 5. Eurostar, Regionale

E   1. voleva, 2. si curvò, 3. traggono, 4. erano, 5. si avvicinava, 6. ci precipitavamo, 7. potesse, 8. lo avremmo saputo, 9. sarebbe stato, 10. diceva, 11. facevo, 12. fosse, 13. nascono, 14. è

F2 1. b, 2. c, 3. c, 4. c

Scheda numero 1
Unità 14 – Sezione D

chestranopensaiinpochichilometrigiaduecasidigentechericeveunaimprovvisanotiziacosialme-
nopresumevooravagamentesuggestionatoscrutavolacampagnalestradeipaesellilefattoriecon-
presentimentiedinquietudiniforsedipendevadaquestospecialestatodanimomapiuosservavola-
gentepiumisembravachecifossedappertuttounainconsuetaanimazionemasiperchequellandiri-
vienineicortiliquelledonneaffannatequeicarriquelbestiamedovunqueeralostessoamotivodella-
velocitaeraimpossibiledistinguerebeneeppureavreigiuratochefosselamedesimacausadovun-
queforsechenellazonasicelebravanosagrechegliuominisipreparasseroaraggiungereilmercato-
mailtrenoandavaelecampagneeranotutteinfermentoagiudicaredallaconfusioneealloramisiin-
rapportoladonnadelpassaggioalivelloilgiovanesulmurettoilviavaideicontadiniqualchecosae-
rasuccessoenoisultrenonononnesapevamoniente

....

....

....

....

....

....

....

....

....

....

....

....

....

....

....

....

....

Scheda numero 2
Unità 14 – Sezione F

cedere ☐	allucinazione ☐	trasse ☐	simulando ☐	pupille ☐	ordigno ☐	osò ☐
allarmante ☐	macchinista ☐	turbine ☐	inquieta ☐	anelando ☐	convoglio ☐	sventolava ☐
repentino ☐	brandello ☐	testata ☐	verso ☐	fuga ☐	sorte ☐	tettoie ☐
banchine ☐	penombra ☐	si eclissava ☐	brivido ☐	vitree ☐	volte ☐	vacua ☐

1) tirò
2) movimento violento dell'aria
3) che fa preoccupare
4) di vetro
5) lasciarsi andare
6) immagine non vera che sembra realtà
7) non serena
8) veloce
9) sensazione improvvisa di paura
10) treno
11) facendo finta
12) archi
13) luogo con poca luce
14) rapido abbandono di un luogo
15) pezzo
16) andava via
17) ebbe il coraggio
18) il conducente
19) desiderando
20) strutture che coprono uno spazio
21) nome del giornale
22) muoveva al vento
23) destino
24) vuota
25) aperture attraverso le quali gli occhi ricevono le immagini
26) marciapiede rialzato delle stazioni
27) pagina retrostante
28) meccanismo spesso esplosivo

Scheda numero 3
La riflessione personale

Preferisco viaggiare in:

....

....

Mi piace/non mi piace viaggiare perché:

....

....

Mi piace andare in/a:

....

....

Preferisco viaggiare con/perché:

....

....

A volte invece mi piace rimanere a casa perché:

....

....

Il mio viaggio più bello:

....

....

In quel viaggio mi è successo di tutto:

....

....

Un giorno finalmente andrò:

....

....

La grammatica in pillole

- La questione grammaticale su cui si intende riflettere nella sezione C è quella relativa agli usi del congiuntivo. Dopo aver chiesto agli studenti per quale motivo si usa il congiuntivo nelle frasi indicate e perché nella prima compaia il congiuntivo passato, potete continuare la riflessione scrivendo le seguenti frasi alla lavagna, tratte dall'Appendice grammaticale presente nel Quaderno degli esercizi a pagina 116:

Ho paura che abbiate sbagliato ancora una volta.
Credo che lui sia onesto.
Benché tu sia stanco devi studiare
È probabile che abbiate capito male.
Ti presto la moto a patto che guidi con prudenza.

- Lasciate che gli studenti indichino di nuovo le ragioni per cui nelle frasi scritte alla lavagna compare il congiuntivo, quindi procedete con il riscontro in plenum consultando la suddetta Appendice grammaticale.

- La questione grammaticale su cui si intende riflettere nella sezione F è quella relativa agli usi del condizionale. Dopo aver chiesto agli studenti per quale motivo si usa il condizionale nelle frasi date, potete continuare la riflessione scrivendo le seguenti frasi alla lavagna, tratte dall'Appendice grammaticale presente nel Quaderno degli esercizi a pagina 115:

Come sarebbe bello partire oggi stesso!
Fareste bene a chiudere la finestra: fa freddo!
Non saprei quale scegliere, sono tutte così belle.
Le spese per le armi supererebbero quelle sanitarie.
Se fossi meno timido, le telefonerei.

- Lasciate che gli studenti indichino di nuovo le ragioni per cui è presente il condizionale, quindi procedete con il riscontro in plenum consultando la suddetta Appendice grammaticale.

Lavoriamo sul lessico

- Dopo aver svolto le attività indicate nella sezione D, potete dedicarvi al contenuto della scheda numero 1 a pagina 75. Fate lavorare gli studenti in gruppi di tre o quattro persone. Invitateli a rileggere il testo a pagina 86 dicendo che farete un'attività in cui è utile ricordare le parole che compongono le varie frasi. Fotocopiate la scheda e consegnatene una copia ad ogni gruppo. Il compito consiste nel completare le frasi reinserendo le parole mancanti. Se volete, potete trasformare l'attività in una gara a tempo. Al termine, procedete con il riscontro in plenum, confrontando quanto scritto con il brano in questione.

Soluzione: lavoro, uomini, impedisce, sospetto, episodi, occasioni, gravidanza, panni, ricatto, tabù, cronache, inchiesta, multa, legge, parto, diritto, questione, costo, pagata, colloquio, intenzione, datore, impresa

Ascoltiamo

- Dopo aver svolto le attività da 1 a 4 della sezione E, potete dedicarvi al contenuto della scheda numero 2 a pagina 76. Fotocopiate la scheda e ricavate da ogni copia un set di cartellini tagliando lungo le linee tratteggiate. Fate lavorare gli studenti in coppia e consegnate ad ognuna un set di cartellini che verrà disposto con la parte scritta rivolta verso il basso. A turno, gli studenti sollevano una carta, la leggono e dicono il femminile della parola in essa contenuta. Se entrambi sono d'accordo, lo studente che ha sollevato la carta può trattenerla, altrimenti verrà lasciata in sospeso e il turno passerà in ogni modo al compagno. Si procede così fino ad esaurimento delle carte. Al termine, durante il riscontro in plenum si potrà decidere se le carte rimaste in sospeso possono essere assegnate o meno. In ogni coppia vince naturalmente chi ha trattenuto il maggior numero di carte.

Soluzione: capa, ministra, professoressa, sindaca, direttrice, dentista, autrice, vigilessa, commerciante, regista, presidentessa, dottoressa, avvocato/avvocatessa, pilota, sarta, cantante, poetessa, architetto, studentessa, venditrice

La produzione orale

Dopo aver svolto le attività indicate nella sezione H, dividete la classe in due gruppi, uno interamente composto di donne e l'altro di uomini. Invitate i maschi a immedesimarsi nel ruolo di femministe estremiste e accanite e le donne in quello di maschilisti reazionari e convinti. Con un pizzico di ironia, ogni gruppo rifletterà sugli argomenti che giustificano le proprie convinzioni, dopodiché, nel corso della discussione in plenum, ognuno tenterà di dimostrare agli altri quanto sono giuste le proprie teorie.

La riflessione personale

- Alla fine dell'unità, potete facilitare il trasferimento dal generico alla sfera personale di quanto discusso e analizzato svolgendo la seguente attività: fotocopiate la scheda numero 3 a pagina 77 e consegnatene una copia ad ogni studente.

  Il compito consiste nel compilare la scheda tenendo presente il proprio atteggiamento rispetto a quanto indicato. Al termine, invitate gli studenti a riferire i contenuti principali della loro riflessione dando luogo ad una discussione in plenum.

CHIAVI UNITÀ 15

Per cominciare...

3 legge/tutelare, gravidanza/maternità, assumere/retribuzione

A1 1. b, 2. c, 3. b, 4. a, 5. c

B1 1. farsi largo, 2. spianare il cammino, 3. nei miei panni, 4. aprire un'inchiesta 5. titolare di una ditta

  2 1. il 30%, 2. rispetto al sesso forte, 3. c'è chi pensa che, 4. dopo aver finito l'università

D1 1. dispone, 2. suppongo, 3. presuppone, 4. si oppone/si è opposto, 5. impone/ha imposto, 6. ha esposto

  2 uguaglianza/parità, proprietario/titolare, allevare/crescere, severo/rigido, tutelare/proteggere

  3 assunzione, lavoratore/lavorazione, violatore/violazione/violenza, versamento/versatore, sostituto/sostituzione, contributo/contribuzione/contributore

E1 avvocatessa (ma anche *avvocato*), professoressa, sindaca, ministra

  3 esiste il termine professoressa, 2. con il femminismo grammaticale, 3. affermazione di certi termini, 4. perchè non eravamo abituati, 5. senza nessuna imposizione, 6. naturalmente il sindaco era

4 1. b, 2. a, 3. a

G1 1. a buon mercato, 2. a posto, 3. a memoria, 4. a rate, 5. a gonfie vele

  2 1. orologio, 2. donne, 3. maternità, 4. situazione, 5. di, 6. perché, 7. mamma, 8. donne, 9. rivelazione/conclusione, 10. dati/risultati, 11. quasi, 12. mentre, 13. nessun, 14. tanto, 15. ricerca, 16. soprattutto, 17. che, 18. famiglia

Scheda numero 1
Unità 15 - Sezione D

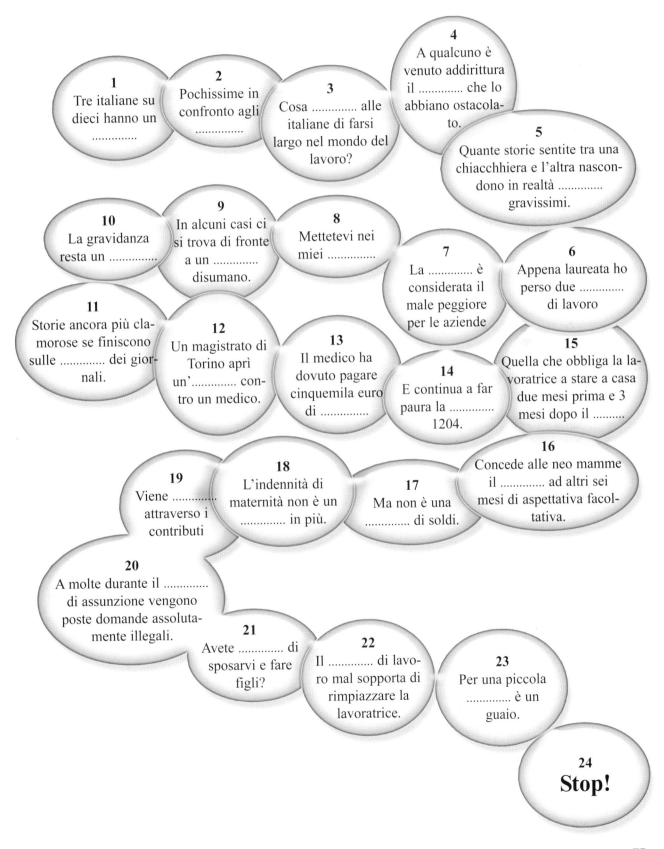

1
Tre italiane su dieci hanno un ....

2
Pochissime in confronto agli ....

3
Cosa .... alle italiane di farsi largo nel mondo del lavoro?

4
A qualcuno è venuto addirittura il .... che lo abbiano ostacolato.

5
Quante storie sentite tra una chiacchhiera e l'altra nascondono in realtà .... gravissimi.

10
La gravidanza resta un ....

9
In alcuni casi ci si trova di fronte a un .... disumano.

8
Mettetevi nei miei ....

7
La .... è considerata il male peggiore per le aziende

6
Appena laureata ho perso due .... di lavoro

11
Storie ancora più clamorose se finiscono sulle .... dei giornali.

12
Un magistrato di Torino aprì un'.............. contro un medico.

13
Il medico ha dovuto pagare cinquemila euro di ....

14
E continua a far paura la .... 1204.

15
Quella che obbliga la lavoratrice a stare a casa due mesi prima e 3 mesi dopo il ....

16
Concede alle neo mamme il .... ad altri sei mesi di aspettativa facoltativa.

19
Viene .... attraverso i contributi

18
L'indennità di maternità non è un .... in più.

17
Ma non è una .... di soldi.

20
A molte durante il .... di assunzione vengono poste domande assolutamente illegali.

21
Avete .... di sposarvi e fare figli?

22
Il .... di lavoro mal sopporta di rimpiazzare la lavoratrice.

23
Per una piccola .... è un guaio.

24
Stop!

Scheda numero 2
Unità 15 - Sezione E

capo	ministro	professore	sindaco
direttore	dentista	autore	vigile
commerciante	regista	presidente	dottore
avvocato	pilota	sarto	cantante
poeta	architetto	studente	venditore

Scheda numero 3
La riflessione personale

Vorrei/non vorrei essere dell'altro sesso perché:

....

....

Secondo me, le donne in generale sono:

....

....

Secondo me, gli uomini in generale sono:

....

....

Nel mio paese i rapporti tra i sessi sono:

....

....

Secondo me la vera parità tra i sessi si realizza:

....

....

Nel mondo del lavoro, uomini e donne dovrebbero:

....

....

Nella sfera privata, i miei rapporti con persone dell'altro sesso sono:

....

....

Lavoriamo sul lessico

- Dopo aver svolto le attività indicate nella sezione C, potete dedicarvi al contenuto della scheda numero 1 a pagina 80. Fotocopiate la scheda e consegnatene una copia ad ogni studente, ricordando che per svolgere questa attività è necessario utilizzare il dizionario. Il compito consiste nello scrivere per ogni parola presente nella colonna a sinistra il suo significato, qualora lo si sappia. Se il significato non è noto, si formulerà un'ipotesi sullo stesso. In ogni caso, si controllerà il significato del termine in questione sul dizionario.

La grammatica in pillole

- La questione grammaticale su cui si intende riflettere nella sezione D1 è quella relativa ai verbi irregolari al passato remoto.
- Disegnate alla lavagna la seguente tabella:

nascere	imparare	prendere	essere

venire	incontrare	divenire	sostituire

- Data la difficoltà che italiani e stranieri incontrano nel coniugare i verbi al passato remoto, lasciate che gli studenti vi suggeriscano la coniugazione dei verbi in tabella, dopodiché invitateli a consultare l'Appendice Grammaticale presente nel Quaderno degli esercizi a pagina 115.

- La questione grammaticale su cui si intende riflettere nella sezione D2 è quella relativa ad alcuni tipi di suffissi utilizzati per la formazione di aggettivi.

Dopo aver svolto le attività indicate, invitate gli studenti a consultare l'Appendice grammaticale presente nel Quaderno degli esercizi a pagina 106-107.

Ascoltiamo

- Dopo aver svolto le attività indicate nella sezione F, potete approfondire la comprensione dell'ascolto utilizzando la scheda numero 2 a pagina 81.

- Fotocopiate la scheda numero 2 e consegnatene una copia ad ogni studente. Fate ascoltare di nuovo il brano un paio di volte, invitando gli studenti a completare le lacune e specificando che le parole mancanti sono al massimo quattro. Al termine, chiedete di controllare il proprio elaborato con quello dei vicini di banco prima di procedere ad un ultimo ascolto e infine al riscontro in plenum.

Soluzioni: 1. le variazioni sul tema, 2. i pranzi natalizi, 3. nostre ricette tradizionali, 4. formati di pasta tipici, 5. ripiene a dei tortellini, 6. speciale mattarello dentellato, 7. le cucine etniche

La produzione orale

- Dopo aver moderato la conversazione scaturita da quanto proposto alla sezione G, potete svolgere la seguente attività: chiedete ad ogni studente quale cucina conoscono e apprezzano maggiormente oltre a quella del proprio paese. Formate dei gruppi cercando di unire persone con preferenze gastronomiche diverse e invitateli a conversare allo scopo di illustrare agli altri i pregi della cucina che apprezzano di più.

La riflessione personale

- Alla fine dell'unità, potete facilitare il trasferimento dal generico alla sfera personale di quanto discusso e analizzato svolgendo la seguente attività: fotocopiate la scheda numero 3 a pagina 82 e consegnatene una copia ad ogni studente.

Il compito consiste nel compilare la scheda tenendo presente il proprio atteggiamento rispetto a quanto indicato. Al termine, invitate gli studenti a riferire i contenuti principali della loro riflessione dando luogo ad una discussione in plenum.

CHIAVI UNITÀ 16

Per cominciare…

1   antipasto, crudo, friggere

A1 1. un fatto naturale, 2. a lungo, 3. ben presto, 4. presero gran vigore, 5. hanno dato luogo

   2 1. Da quel che sappiamo, 2. si taglia di solito, 3. è ormai possibile, 4. Col passare degli anni, 5. Sia lunga che corta

C1 *utensili*: 1. b, 2. a, 3. c, 4. f, 5. d, 6. e; *pasta e formaggi*: 1. g, 2. n, 3. i, 4. o, 5. h, 6. p, 7. l, 8. m

   2 pelare i pomodori, sbucciare la frutta, bollire l'acqua, mescolare il sugo, cuocere la pasta, affettare il salame, grattugiare il formaggio, farcire il tacchino

   3 *sinonimi*: affermare/asserire, celebre/illustre, attuale/odierno

     contrari: abbiente/povero, sofisticato/semplice, tenero/duro

D1 nascere, prendere, essere, venire, divenire

   2 naturale, alimentare, sorprendente, rappresentanti, salati, inarrestabile, romana, eccezionali, artigianale

E 1. mangiavano, 2. veniva, 3. violò, 4. entrando, 5. voleva, 6. piaceva, 7. diventò, 8. nacquero, 9. si fece, 10. mandarono, 11. aggiunse, 12. correva

F 2 1, 4, 6, 7

I *mangiare come un porco*: mangiare tantissimo, *come un uccellino*: pochissimo, *come un maiale*: tantissimo e in modo poco educato, *come un bue*: tantissimo, *come un principe*: benissimo, *per due*: per due persone

Scheda numero 1
Unità 16 - Sezione C

Parola	Lo so, significa...	Non lo so, forse significa...	Il dizionario dice...
cereali			
attestati			
matterello			
dieta			
pietanze			
essiccare			
attecchire			
vigore			
progenitori			
alleato			
ricorrenza			
reperibile			

Scheda numero 2
Unità 16 - Sezione F

1. La pasta è il nostro piatto forte, e quindi _____ si sprecano.

2. E anche i bambini, da un'indagine che è stata condotta recentemente, hanno dimostrato appunto di dare i voti più alti nelle loro preferenze per, diciamo così, _____ proprio alle paste, alle paste ripiene, alle paste fatte in casa...

3. E l'Italia è soprattutto portatrice di queste tradizioni che vanno dalle nostre materie prime alle _____ e assolutamente non le dobbiamo perdere.

4. Mah... quelli più particolari, diciamo che sono un momentino particolari a seconda del punto dell'Italia da cui li guardiamo, nel senso che al Nord chiaramente alcuni _____ della tradizione meridionale sembrano magari quelli più particolari...

5. Abbiamo dalle paste _____ a degli gnocchi in salsa, a dei ravioli, cappelletti, maccheroni, lasagne.

6. Ce n'è di tutti i colori e di tutte le fogge: per esempio in Abruzzo viene fatta una pasta particolare che viene tagliata con una specie... uno _____ e che assume una forma strana, no?

7. Sì, la cosa, ripeto ancora, particolare, è che molto spesso noi italiani siamo un momentino così... strani, diciamo: andiamo a cercare _____ di altri Paesi, quando ancora non conosciamo le nostre.

Scheda numero 3
La riflessione personale

Mi piace mangiare soprattutto:

....

....

Il mio pasto preferito è:

....

....

Mi piace/non mi piace la pasta perché:

....

....

Tra i diversi tipi di pasta preferisco:

....

....

Il piatto maggiormente diffuso nel mio paese è:

....

....

Mi piace/non mi piace la cucina etnica perché:

....

....

In questo momento mi piacerebbe mangiare:

....

....

Se fossi un grande cuoco, preparerei...:

....

....

La grammatica in pillole

- La questione grammaticale su cui si intende riflettere nella sezione C è quella relativa alla concordanza dei tempi e al discorso diretto e indiretto. Dopo aver svolto l'attività indicata, invitate gli studenti a consultare l'Appendice grammaticale presente nel Quaderno degli esercizi a pagina 124 e 125. Trattandosi di un argomento piuttosto complesso, dedicate del tempo alla discussione in plenum dello stesso, esortando i corsisti a porre domande relativamente a ciò che per loro risulta più difficile. Potete anche svolgere in classe gli esercizi 1 e 2 contenuti nel Quaderno degli esercizi.

- La questione grammaticale su cui si intende riflettere nella sezione G, riguarda alcuni tipi di congiunzioni. Dopo aver svolto l'attività indicata, invitate gli studenti a consultare l'Appendice grammaticale presente nel Quaderno degli esercizi a pagina 112 e 113 per avere un quadro ampio delle congiunzioni e a pagina 116 per ricordare quali di esse richiedono il congiuntivo.

Lavoriamo sul lessico

- Dopo aver svolto le attività indicate nella sezione D, potete dedicarvi al contenuto della scheda numero 1 a pagina 85. Fate lavorare gli studenti in due gruppi. La scheda serve solamente a voi. Scrivete alla lavagna la prima parola, *vizio*, e a destra il contenuto della casella successiva. Il gruppo che inizia vi dirà quale delle quattro parole indicate si può associare alla parola *vizio*. La soluzione per voi è scritta in neretto. Si tratta della parola *caffè*, che scriverete al posto di *vizio*. A questo punto considerate la casella successiva e nello spazio della colonna lasciato vuoto dalla parola *caffè* che avrete cancellato, aggiungete la parola in corsivo, ovvero *casa*.
L'altro gruppo dovrà dire adesso quale parola associare a *caffè* tra quelle presenti al momento nella colonna. Procedete così fino ad esaurimento della scheda, assegnando ai gruppi un punto ad ogni risposta corretta. Naturalmente, vince quello che al termine ha raggiunto il punteggio maggiore.

vizio	trasporto **caffè** espresso via
caffè	trasporto *casa* **espresso** via
espresso	**trasporto** casa *bella* via

La produzione orale

- Dopo aver moderato la conversazione scaturita da quanto proposto nella sezione F, potete svolgere la seguente attività: in plenum decidete quali sono le maggiori cause di grandi discussioni, separazioni e divorzi all'interno delle coppie e scegliete di occuparvi di quella che considerate più grave o diffusa. Spiegate agli studenti che in Italia esiste una popolare trasmissione televisiva in cui moglie e marito discutono i loro problemi, accusandosi reciprocamente e vengono difesi ognuno da amici e parenti. Provate a mettere in moto lo stesso meccanismo in cui una coppia in crisi si accusa reciprocamente mentre gli altri compagni prendono le parti della moglie o del marito.

Ascoltiamo

- Dopo aver svolto le attività indicate al punto E, potete approfondire la comprensione dell'ascolto nella maniera seguente:
- Fate lavorare gli studenti in coppia o in gruppi di tre persone. Disegnate la sottostante tabella alla lavagna chiedendo agli studenti di copiarla e invitateli quindi a completare le varie caselle con le informazioni tratte dal brano ascoltato. Al termine, procedete con il riscontro in plenum.

gli altri mariti:	lui e la cucina:

lei e la cucina:	lui e le faccende dome-stiche:
lui e l'inglese:	la coppia al caffè:
lei in visita agli amici:	insomma sono:

La riflessione personale

- Alla fine dell'unità, potete facilitare il trasferimento dal generico alla sfera personale di quanto discusso e analizzato svolgendo la seguente attività: fotocopiate la scheda numero 2 a pagina 86 e consegnatene una copia ad ogni studente.

Il compito consiste nel compilare la scheda tenendo presente il proprio atteggiamento rispetto a quanto indicato. Al termine, invitate gli studenti a riferire i contenuti principali della loro riflessione dando luogo ad una discussione in plenum.

CHIAVI UNITÀ 17

B1 1. sia pure, 2. non l'aveva rallegrata, 3. non era esigente, 4. non importava, 5. sarebbe venuta fuori

2 1. b, 2. f, 3. c, 4. e, 5. a

C 1. Ha detto che non ha/aveva mai avuto molto trasporto per le donne, non le capisce/capiva e non lo capiscono/capivano; 2. Che cosa avresti fatto se ti fossi innamorato di un'altra donna?; 3. Mi diceva che aveva bisogno di un cappello, aveva bisogno di un vestito

D1 1. eccezione, 2. viziato, 3. cattiveria, 4. esigente, 5. fiato

2 *nell'ordine dall'alto in basso*:c, b, e, a, d

E1 1. le stavo accanto perfino, 2. con l'aiuto, 3. questa frase c'era, 4. veniva a trovarla qualche, 5. mi fermò avvertendomi che, 6. dopo glielo dicevo

2 1. b, 2. c

G 1. ma, 2. perciò, 3. mentre, 4. benché

H 1. te, 2. ne, 3. a, 4. che, 5. in, 6. perché, 7. Mi, 8. della, 9. quella, 10. Nella, 11. lo, 12. tutti, 13. però/invece, 14. qual, 15. lo, 16. li, 17. Al, 18. glielo

I lo ha piantato in asso, un fulmine a ciel sereno, aveva portato all'altare; mettesse le corna, a occhi chiusi, al settimo cielo

Scheda numero 1
Unità 17 - Sezione D

vizio	trasporto **caffè** espresso via	trasporto *casa* **espresso** via	**trasporto** casa *bella* via	*faccia* casa bella **via**
faccia **casa** bella *aspetto*	faccia *vestiti* **bella** aspetto	**faccia** vestiti *negozi* aspetto	*articolo* vestiti negozi **aspetto**	articolo **vestiti** negozi *l'*
articolo *avvocato* **negozi** l'	**articolo** avvocato *pagare* l'	*soldi* avvocato pagare **l'**	soldi **avvocato** pagare *svaghi*	soldi *villeggiatura* **pagare** svaghi

Il perché delle associazioni:

Il **vizio** del **caffè**
Il **caffè espresso**
Un **trasporto** (treno, per esempio) **espresso**
La **via** di **trasporto** (per esempio: trasporto via mare)
La **via** di **casa**
Una **casa bella**
Una **bella faccia**
L'**aspetto** della **faccia**
L'**aspetto** dei **vestiti**
I **vestiti** si comprano nei **negozi**
Ogni prodotto venduto nei **negozi** (soprattutto di abbigliamento) si chiama **articolo**
L' è l'articolo per *avvocato*
Pagare l'**avvocato**

Scheda numero 2
La riflessione personale

Per me il matrimonio è:

....

....

Nel matrimonio i partner dovrebbero:

....

....

Vorrei sposarmi/mi sono sposato perché:

....

....

Non vorrei sposarmi/non mi sono sposato perché:

....

....

La coppia migliore che abbia mai conosciuto:

....

....

Sono contrario/favorevole al divorzio perché:

....

....

Il marito ideale è colui che ...:

....

....

La moglie ideale è colei che ...:

....

....

Lavoriamo sul lessico

- Dopo aver svolto le attività indicate nella sezione C, potete dedicarvi al contenuto della scheda numero 1 a pagina 89. Fotocopiate la scheda e consegnatene una copia ad ogni studente. Il compito consiste nel trovare il corrispondente nella propria lingua delle parole contenute nella colonna di sinistra, rispettando il significato che esse assumono nei testi A e B della sezione A. Dopodiché, si tratterà di decidere se la corrispondenza è totale o se c'è una leggera sfumatura tra i due termini. Infine, ci si consulterà con un compagno per vedere se ha scelto la stessa parola nella propria lingua e se la ritiene perfettamente corrispondente al termine italiano. La discussione con il compagno può avvenire solamente in classi in cui ci siano almeno due individui che condividono la stessa madrelingua.

La grammatica in pillole

- La questione grammaticale su cui si intende riflettere nella sezione D1 è quella relativa ai pronomi doppi. Dopo aver svolto l'attività indicata, invitate gli studenti a consultare l'Appendice Grammaticale a pagina 108-109 del Quaderno degli Esercizi.

- La questione grammaticale su cui si intende riflettere nella sezione D2 è quella relativa ad alcune particolarità dei sostantivi. Dopo aver svolto l'attività indicata, potete ampliarla scrivendo altri sostantivi alla lavagna, tutti tratti dall'Appendice Grammaticale del Quaderno degli esercizi:

penna telefono dente rondine tabù verità bar tema biro cantante problema banco banca boa

- Fatevi indicare di nuovo gli articoli determinativi per i sostantivi elencati e soprattutto, per ognuno di essi, discutetene la particolarità, dopodiché passate a consultare l'Appendice Grammaticale a pagina 102.

Ascoltiamo

- Dopo aver svolto le attività indicate al punto E, potete approfondire la comprensione dell'ascolto utilizzando la scheda numero 2 a pagina 90.

- Fate lavorare gli studenti in coppia. Fotocopiate la scheda e consegnatene una copia ad ogni coppia di studenti. Fate ascoltare di nuovo il brano, invitando gli studenti a riformulare in modo più semplice, o meno tecnico, le espressioni contenute in tabella e soprattutto le parti di esse scritte in corsivo. Al termine, procedete con il riscontro in plenum.

Possibili soluzioni: *una nuova branca*: una nuova sezione; *l'impatto*: l'incontro; *eludere*: trascurare, evitare; *un fatto di dosaggio*: una questione di quantità di tempo trascorsa in rete; *una tecnomediazione della relazione*: una relazione in cui l'incontro è mediato dalla tecnologia; *mi porrò*: mi comporterò; *molteplicità del nostro sé*: i diversi aspetti del nostro modo di essere; *sganciandolo dalla realtà*: allontanandolo dal reale; *possibilità di mascheramento*: la possibilità di apparire diversi; *la possibilità di sperimentarsi in più ambiti*: la possibilità di provare ad agire in ambienti diversi; *una sorta di estensione della nostra mente*: una specie di prolungamento, ampliamento della nostra mente

La produzione orale

- Dopo aver moderato la conversazione scaturita da quanto proposto nella sezione F, potete svolgere la seguente attività: chiedete agli studenti a che tipo di chat o di forum parteciperebbero volentieri. Scegliete due o tre dei tipi proposti e scrivete per ognuno un primo messaggio alla lavagna. Distribuite quindi dei fogli ognuno contenente uno dei messaggi scritti alla lavagna. Il compito degli studenti sarà quello di "conversare virtualmente" lasciando il proprio messaggio, preceduto da uno pseudonimo, su ogni foglio che verrà fatto opportunamente circolare. Al termine, procedete con il riscontro in plenum, leggendo le conversazioni virtuali contenute in ogni foglio.
Se c'è tempo e gli studenti sono ben disposti, potete ripetere l'operazione per ricreare un'atmosfera davvero da forum, con botta e risposta tra i vari messaggi.

La riflessione personale

- Alla fine dell'unità, potete facilitare il trasferimento dal generico alla sfera personale di quanto discusso e analizzato svolgendo la seguente attività: fotocopiate la scheda numero 3 a pagina 91 e consegnatene una copia ad ogni studente.
Il compito consiste nel compilare la scheda tenendo presente il proprio atteggiamento rispetto a quanto indicato. Al termine, invitate gli studenti a riferire i contenuti principali della loro riflessione

dando luogo ad una discussione in plenum.

CHIAVI UNITÀ 18

A2 1. B, 2. A, 3. B, 4. B, 5. A, 6. A, 7. B, 8. B, 9. A, 10. B

B1 1. un certo punto, 2. ora di, 3. c'è dubbio, 4. tengo, 5. meglio che niente

C1 A: aggiungete/sommate, inutile/superfluo, premere/schiacciare, costoso/salato, eccesso/abuso

B: rapidissima/fulminea, insolita/originale, straordinaria/strepitosa, deboli/tiepidi, si riproduce/si duplica

  2 1. scaricare, 2. stampare, 3. stampante, 4. mouse, 5. schermo, 6. definizione, 7. pulsante, 8. allegato

D1 ciò che hanno ricevuto, ciò che hanno trovato

  2 la sindrome, il pilota, il pigiama, la fine, la radio

E1 1. a, 2. b, 3. d, 4. c

  2 1. b, 2. b

G 1. ha, 2. torna, 3. metropolitana, 4. qualcosa, 5. posto/fila, 6. cuore, 7. avvicinarsi/parlarle, 8. permette, 9. perde, 10. pace, 11. fa, 12. maglietta, 13. decide, 14. ci, 15. la, 16. diffonde, 17. pagina, 18. viene, 19. squillare, 20. fino, 21. chiama, 22. eccola, 23. contatto, 24. ragazza, 25. Non, 26. sul/al, 27. finire, 28. sono

Scheda numero 1
Unità 18 - Sezione C

In italiano	Nella mia lingua	Corrispondono perfettamente	Non corrispondo-no perfettamente	Il mio compagno ha scelto:
isteria				
novità				
messaggini				
meandri				
dipendenza				
entusiasmo				
accade				
eccesso				
sinistro				
salato				
ipnotizzato				
fretta				
decisamente				
squillo				
faccenda				
bollette				
gratuita				
lusinga				
impegno				
pigra				
visita				
sguardo				
autoadesivo				
conoscenti				

Scheda numero 2
Unità 18 - Sezione E

Ha detto:	Si potrebbe dire:
esperto di cyberpsicologia, *una nuova branca....*	
l'*impatto* della mente umana con la tecnologia	
ha determinato delle conseguenze che non possiamo più *eludere*	
si potrebbe pensare che questo sia esclusivamente *un fatto di dosaggio*	
alcune persone non possono innamorarsi se non attraverso *una tecnomediazione della relazione*	
mi porrò in un certo modo	
possiamo *sperimentare molteplicità del nostro sé*	
sganciandolo dalla realtà	
le donne sono attratte da questa *possibilità di mascheramento*	
la possibilità di sperimentarsi in più ambiti	
la rete è *una sorta di estensione della nostra mente*	

Scheda numero 3
La riflessione personale

Ho cominciato a usare il computer nel...:
....
....

Non ho mai usato il computer perché...:
....
....

Mi piace/non mi piace usare il computer perché...:
....
....

Secondo me Internet è...:
....
....

Mi piace/non mi piace navigare in Internet perché...:
....
....

La mia opinione sui forum e le chat line...:
....
....

Sarebbe bello se con il computer si potesse:
....
....

Con Internet l'umanità potrebbe:
....
....

Ascoltiamo

- Dopo aver svolto le attività indicate al punto A, potete approfondire la comprensione dell'ascolto utilizzando la scheda numero 1 a pagina 94.

  Gli studenti lavorano individualmente e rispondono ai quesiti e agli spunti di riflessione proposti dalla scheda. Soprattutto per quanto riguarda le espressioni da spiegare, possono consultarsi con i compagni prima di rispondere all'ultima domanda relativa al giudizio sul proprio livello di comprensione dopo aver svolto le attività proposte. Al termine, procedete con il riscontro in plenum cercando di rilevare se gli studenti ritengono che le attività svolte li abbiano effettivamente aiutati a capire meglio.

La grammatica in pillole

- La questione grammaticale su cui si intende riflettere nella sezione B3 è quella relativa ai verbi irregolari al futuro semplice. Dopo aver svolto l'attività indicata, invitate gli studenti a consultare l'Appendice grammaticale a pagina 115 del Quaderno degli esercizi.

- La questione grammaticale su cui si intende riflettere nella sezione F è quella relativa alla forma impersonale dei verbi. Dopo aver svolto l'attività indicata, potete consultare l'Appendice grammaticale del Quaderno degli esercizi a pagina 118.

Lavoriamo sul lessico

- Dopo aver svolto le attività indicate nella sezione E, potete dedicarvi al contenuto della scheda numero 2 a pagina 95. Fotocopiate la scheda e consegnatene una copia ad ogni studente o ad ogni coppia di studenti. Il compito consiste nel ricomporre le parole anagrammate della colonna di sinistra, tutte estratte dal testo a pagina 110, e scriverle nella colonna di destra. Potete trasformare l'attività in una gara a tempo a coppie, o individuale, o di gruppo. Al termine, procedete con il riscontro in plenum.

Soluzione: turbamento, emigrarono, clandestini, fenomeni, partenza, esodo, tradizioni, popolazione, emigrazione, disoccupati, benefici, squilibrio, offerta, disagio, patria

La produzione orale

- Dopo aver moderato la conversazione scaturita da quanto proposto nella sezione G, potete dare luogo ad una tavola rotonda in cui gli studenti esprimono la propria opinione a proposito dei fenomeni migratori e del costituirsi di società multietniche.

La riflessione personale

- Alla fine dell'unità, potete facilitare il trasferimento dal generico alla sfera personale di quanto discusso e analizzato svolgendo la seguente attività: fotocopiate la scheda numero 3 a pagina 96 e consegnatene una copia ad ogni studente.

  Il compito consiste nel compilare la scheda tenendo presente il proprio atteggiamento rispetto a quanto indicato. Al termine, invitate gli studenti a riferire i contenuti principali della loro riflessione dando luogo ad una discussione in plenum.

CHIAVI UNITÀ 19

A1 in ripresa: in aumento; Mezzogiorno: il sud Italia; sottoccupato: chi, per mancanza di offerta, non lavora come e quanto vorrebbe; mettersi in proprio: iniziare un'attività autonoma; accoglienza: ricevere qualcuno

2 2, 3, 5, 7

3 Quando un bicchiere viene riempito a metà gli ottimisti lo giudicano "mezzo pieno" e i pessimisti "mezzo vuoto". L'espressione significa che la stessa realtà può essere interpretata in modo positivo o negativo a seconda dello spirito delle persone.

B1 1. sono, 2. vivo, 3. conoscessi, 4. mi arrabbio, 5. sia, 6. provate, 7. vanno, 8. moltiplicate, 9. perde, 10. ho vissuto, 11. ho fatto, 12. mi sono ritrovata, 13. ho conosciuto, 14. ho trovato, 15. mi trovo, 16. si sognava, 17. stavo, 18. sto.

2 Come nelle due testimonianze scritte, il padre del giovane emigrato considera doloroso il fatto che i giovani al sud debbano lasciare la loro terra per trovare lavoro. Mentre però Francesca prima di andare in Germania aveva comunque trovato lavoro in Italia, il figlio del signore che ha telefonato si è dovuto trasferire a Londra perché in Italia non aveva trovato occupazione.

3 *esempio*: venire, rimanere, bere

C1 Destinazioni alla fine del 1800: i paesi europei e le due Americhe.
Destinazioni nel 1900: Francia e Germania

2 1. a, 2. a, 3. c, 4. c, 5. b

D1 rovesciare/capovolgere; oltrepassare/varcare; vantaggio/beneficio, fuga/fuoriuscita

2 1. residenti fuori dei confini, 2. varcavano i confini senza lasciare tracce, 3. in misura bastante, 4. cresce a ritmi notevoli, 5. la teoria fu smentita dai fatti

E1 sud: meridione, meridionale; est: oriente, orientale; ovest: occidente, occidentale

 2 sottrarre, fuggire, riprendere, prevalere, crescere, soffrire

 3 1. profughi, 2. clandestini, 3. extracomunitari, 4. straniero, 5. emigrante

F si fuggiva, non si pensò

Scheda numero 1
Unità 18 - Sezione A

Penso di aver capito:

20%	40%	60%	80%	100%

Non ho capito:

....

....

Provo a riassumere il testo in tre o quattro frasi:

....

....

Provo a spiegare alcune espressioni:

un fenomeno che appare in ripresa:

....

la chiave di lettura è duplice

....

riduce ulteriormente le possibilità di riscatto:

....

impoverisce il tessuto produttivo:

....

rassegnarsi a vivere nelle maglie dell'assistenzialismo:

....

si scuotono, insomma superano un certo atteggiamento fatalista:

....

mettere a frutto l'esperienza:

....

si prestano a spendere la loro professionalità dove c'è richiesta:

....

Adesso penso di aver capito:

20%	40%	60%	80%	100%

Scheda numero 2
Unità 18 - Sezione C

u m r t b e t n o a	....
o r e i g a o m r n	....
l c n e d t i a n s i	....
m f n e o e i n	....
z p r a e a t n	....
o o d e s	....
i r t a i o n i z d	....
l o o o p p a n e i z	....
i e i r a m o n e z g	....
c s i o u a p i d t c	....
c e e f n i b i	....
r u l i i b o q i s	....
r f o e a t f	....
i d s o i g a	....
i r a a t p	....

Scheda numero 3
La riflessione personale

Mi piacerebbe/non mi piacerebbe vivere in un altro Paese...:

....

....

Nel mio Paese ci sono soprattutto persone che provengono da:

....

....

Quelli del mio Paese che sono andati all'estero vivono soprattutto in:

....

....

Conosco e/o frequento persone provenienti da:

....

....

Secondo me per chi vive all'estero la cosa più interessante è:

....

....

Secondo me per chi vive all'estero la cosa più difficile è:

....

....

Le società multietniche sono:

....

....

Sarebbe bello se gente di ogni nazionalità:

....

....

Ascoltiamo

- Dopo aver svolto le attività indicate al punto A, potete approfondire la comprensione dell'ascolto utilizzando la scheda numero 1 a pagina 99.

  Gli studenti lavorano individualmente e completano le frasi, di cui è data la parte iniziale nella colonna a sinistra, inserendo la parte mancante scelta tra gli elementi sottostanti nella colonna a destra.

Soluzione: Direi che si tratta dell'effetto serra; Ci porta alluvioni, grandinate, ci porta trombe d'aria; Io darei la responsabilità a quello che era previsto da molti anni; Non bisogna guardare un singolo inverno; In media la temperatura sta andando su; Ci accorgiamo della siccità; L'opinione pubblica non viene informata correttamente; L'effetto serra è la conseguenza di un modello energetico ormai dichiaratamente sbagliato; L'effetto serra vuol dire tanto calore in più; Bisogna riparare il guasto nella nostra casa; Notizie da prima pagina un giorno e da ultima pagina o da nessuna pagina per altri 29 giorni al mese; È inutile dire che c'è un guasto nella nostra casa; È stato un inverno in parte caldo e in parte anche freddo; Queste due facce della medaglia sono una stessa realtà; consumiamo troppo petrolio

La grammatica in pillole

- La questione grammaticale su cui si intende riflettere nella sezione C, riguarda i participi passati irregolari. Dopo aver svolto l'attività indicata, potete ampliarla scrivendo alla lavagna altri verbi all'infinito chiedendo agli studenti il loro participio:

concedere	*correggere*	*dire*	*discutere*
dividere	*esistere*	*esprimere*	*leggere*
mettere	*muovere*	*offrire*	*proporre*
rompere	*scegliere*	*tradurre*	*vincere*	*vivere*

- Fate il riscontro consultando l'Appendice Grammaticale a pagina 120-121 del Quaderno degli esercizi.

- La questione grammaticale su cui si intende riflettere nella sezione G è quella relativa al periodo ipotetico. Prima di svolgere l'attività indicata, potete disegnare la seguente tabella alla lavagna:

1° tipo o della realtà	Se finisco prima, verrò da te. Se avrò tempo, andrò a fare spese. Se vai all'edicola, comprami il giornale.	*Se/indicativo presente/futuro semplice*
2° tipo o della possibilità	Se avessi tempo libero, andrei in palestra.	
3° tipo o della irrealtà/impossibilità	Se me l'avessi chiesto, te l'avrei dato. Se avessi comprato un computer migliore, ora non avresti tutti questi problemi. Se tutti fossero come te, il mondo andrebbe sicuramente meglio.	

- Chiedete agli studenti di suggerirvi come completare la colonna a destra della tabella, in modo da sottolineare con quali modi e tempi verbali si realizzano i vari tipi di periodo ipotetico e per ognuno di ripetere il significato. Dopodiché, svolgete l'attività indicata e consultate l'Appendice grammaticale presente nel Quaderno degli esercizi a pagina 122.

Lavoriamo sul lessico

- Dopo aver svolto le attività indicate nella sezione E, potete dedicarvi al contenuto della scheda numero 2 a pagina 100. Fotocopiate la scheda, ritagliate lungo le linee tratteggiate e ricavate così un set di nove cartellini. Dividete la classe in due grandi gruppi e fate pescare ad ognuno quattro carte dal vostro mazzo. Fatevi consegnare una carta da un gruppo e spiegate che scriverete alla lavagna una serie di cinque indizi (le parole non in neretto) da associare ad una parola (quella in alto in neretto), estratta dal testo della sezione B. Gli indizi saranno scritti alla lavagna in sequenza, alla distanza di venti secondi l'uno dall'altro. Dopo che tutti i cinque indizi saranno stati scritti il gruppo avversario avrà ancora un minuto di tempo per pensare alla parola in questione e al vostro stop dovrà dire a cosa si è pensato. Se la risposta è giusta si assegna un punto. Adesso è il gruppo che ha appena giocato a consegnarvi una carta per far giocare gli avversari. Se al termine delle otto carte pescate si è in situazione di parità, si tenterà lo spareggio con la nona carta, rimasta a voi. I gruppi in questo caso giocheranno contemporaneamente e vi consegneranno la soluzione scritta su un foglio. Si potrà quindi dichiarare un gruppo vincitore oppure rallegrarsi per il pareggio ottenuto!

La produzione orale

- Dopo aver moderato la conversazione scaturita da quanto proposto nella sezione F, invitate gli studenti a dividersi in gruppi per svolgere il seguente compito: ci sarà una importante manifestazione per sensibilizzare l'opinione pubblica sui temi ambientali e sarà necessario formulare degli slogan che si ripeteranno in coro per le vie e per le piazze della città o si scriveranno su degli "striscioni" in tale occasione. Lasciate ai gruppi un po' di tempo per elaborare le frasi da recitare in piazza, quindi ascoltatele!!!

La riflessione personale

- Alla fine dell'unità, potete facilitare il trasferimento dal generico alla sfera personale di quanto discusso e analizzato svolgendo la seguente attività: fotocopiate la scheda numero 3 a pagina 101 e consegnatene una copia ad ogni studente.
  Il compito consiste nel compilare la scheda tenendo presente il proprio atteggiamento rispetto a quanto indicato. Al termine, invitate gli studenti a riferire i contenuti principali della loro riflessione dando luogo ad una discussione in plenum.

CHIAVI UNITÀ 20

A1 *Risposta possibile*: L'effetto serra è un problema ambientale dovuto all'uso non adeguato delle fonti energetiche che causa un progressivo surriscaldamento del pianeta

2 1. pubblica non viene informata; 2. nostra casa, la terra; 3. le estati sono roventi; 4. l'andamento delle cose; 5. quindi ci porta alluvioni; 6. modello energetico ormai dichiaratamente

3 1. c, 2. b

B 2 1, 4, 5, 9

C Ieri, quando Tozzi si è lavato i denti non ha lasciato l'acqua scorrere inutilmente; ha spento tutti i led luminosi degli elettrodomestici
perso, sceso, speso, chiuso, deciso

D1 1. d, 2. a, 3. c, 6. e, 7. b, 8. f

2 1. ha dato carta bianca, 2. ha dato il via, 3. dà retta a, 4. dà ai nervi, 5. dava per scontato

E1 1. studioso, 2. individuali, 3. insufficienti, 4. rinunciato, 5. elettriche, 6. infinito, 7. salvadanaio

2 1. smog, gas di scarico; 2. buco dell'ozono, effetto serra, 3. riciclaggio, raccolta differenziata, 4. fauna, flora, 5. ambientaliste, in via di estinzione

H1 1. invenzione, 3. al, 5. a, 7. in, 8. ingresso, 10. famiglia, 11. avvolto

Scheda numero 1
Unità 20 – Sezione A

1 - Direi che si tratta   ....

2 - Ci porta alluvioni, grandinate, ...

3 - Io darei la responsabilità a quello che era previsto   ....

4 - Non bisogna guardare   ....

5 - In media la temperatura   ....

6 - Ci accorgiamo   ....

7 - L'opinione pubblica non viene   ....

8 - L'effetto serra è la conseguenza di
un modello energetico ormai   ....

9 - L'effetto serra vuol dire   ....

10 - Notizie da prima pagina un giorno
e da ultima pagina o da nessuna pagina   ....

11 - È inutile dire che c'è un guasto   ....

12 - È stato un inverno in parte caldo e in parte   ....

13 - Queste due facce della medaglia sono   ....

14 - Consumiamo   ....

anche freddo   un singolo inverno   dell'effetto serra   dichiaratamente sbagliato

informata correttamente   troppo petrolio   per altri 29 giorni al mese

anche della siccità   sta andando su   nella nostra casa   tanto calore in più

da molti anni   ci porta trombe d'aria   una stessa realtà

Scheda numero 2
Unità 20 – Sezione B

ambiente	**pianeta**	**patrimonio**
luogo	marte	denaro
lega	satellite	ricchezza
pulito	sole	capitale
ecologia	rotazione	testamento
difesa	terra	beni

temperatura	**energia**	**deforestazione**
febbre	fonte	taglio
gradi	acqua	verde
caldo	calore	alberi
freddo	vento	bosco
termometro	forza	diminuzione

petrolio	**traffico**	**cupola**
olio	automobili	copertura
nero	città	cerchio
costoso	ingorgo	San Pietro
benzina	strade	Michelangelo
piattaforma	punta	Bramante

Scheda numero 3
La riflessione personale

Per me natura significa:

....

....

I miei ambienti naturali preferiti sono:

....

....

Secondo me i problemi più gravi a livello ambientale sono:

....

....

Il mio contributo alla salvaguardia del pianeta consiste in:

....

....

Nella mia nazione per salvare il pianeta si cerca di:

....

....

Ogni individuo inoltre dovrebbe:

....

....

Rispettare l'ambiente è importante perché:

....

....

Sarebbe bello se tutte le nazioni del mondo:

....

....

La grammatica in pillole

- La questione grammaticale su cui si intende riflettere nella sezione B1 riguarda i participi presenti. Dopo aver svolto l'attività indicata, potete riflettere sul valore grammaticale che questi assumono nei contesti indicati. *Ridente, abbondante, preoccupante* hanno la funzione di aggettivi, mentre *provenienti* mantiene la funzione di *verbo (che proviene)*. Ricordate agli studenti che i participi presenti, oltre a quanto visto, possono rappresentare anche dei sostantivi, ad es. *È veramente una brava cantante*, quindi invitateli a consultare l'Appendice grammaticale presente nel Quaderno degli esercizi a pagina 120.

- La questione grammaticale della sezione B2 è invece quella relativa ai participi passati con valore assoluto. Dopo aver svolto l'attività indicata, potete scrivere alla lavagna quanto segue:

participio passato

con valore causale	con valore relativo	con valore temporale

- Invitate gli studenti a indicare il valore che i participi passati assumono nelle quattro frasi dell'attività svolta, dopodiché potete consultare l'Appendice Grammaticale presente nel Quaderno degli esercizi a pagina 120.

La produzione orale

- Dopo che gli studenti avranno svolto il role-play indicato al punto D, invitateli a raccontare quali sono i prodotti italiani più noti nel loro Paese, quali preferiscono, se hanno mai comprato volontariamente o meno delle imitazioni e quali sono i prodotti più noti della loro nazione.

Lavoriamo sul lessico

- Dopo aver svolto le attività indicate nella sezione F, potete dedicarvi al contenuto della scheda numero 1 a pagina 104. Fate lavorare gli studenti in coppia. Fotocopiate la scheda e consegnatene una copia ad ogni studente. Ogni copia sarà ripiegata in modo che si veda un solo filetto alla volta. A turno gli studenti devono indicare le linee verticale, orizzontale o diagonale in cui si trovano tre parole che hanno qualcosa in comune. Una delle parole che fa parte del trio è tratta dal testo della sezione A:

quale? Lo studente che fa "filetto" dovrà indicarla. Al termine, procedete con il riscontro in plenum. Chi è il vincitore di ogni coppia? Ci sono dei parimerito?

Soluzione: nozze, *banchetto*, pranzo / *stuzzichini*, aperitivi, snacks / *scovare*, stanare, trovare / *ciucciare*, latte, neonato / squisitezze, bontà, *prelibatezze*

Ascoltiamo

- Dopo aver svolto le attività indicate al punto G, potete approfondire la comprensione dell'ascolto utilizzando la scheda numero 2 a pagina 105.
Gli studenti lavorano individualmente e innanzitutto cercano di spiegare con altre parole o con un sinonimo i termini elencati, dopodiché ascoltano ancora il testo una o due volte e indicano l'ordine con il quale le parole appaiono per la prima volta nella conversazione. Al termine, procedete con il riscontro in plenum.

Soluzione: 1 - agroalimentare (settore che comprende l'agricoltura e l'industria di prodotti alimentari), 2 – quote di esportazione (percentuali di prodotti esportati all'estero), 3 – bilancio (calcolo delle entrate e delle uscite in economia), 4 – marchio (segno, logo della ditta produttrice), 5 – etichetta (cartellino che descrive le caratteristiche di un prodotto), 6 – scaffali (ripiani su cui viene esposta la merce), 7 – il sapore italiano (il gusto dei prodotti tipici dell'Italia) , 8 – contraffazioni (falsificazioni, imitazioni), 9 – concorrenza sleale (competizione nel mercato senza rispettare le regole), 10 – indurre (spingere, costringere), 11 – vittimismo (atteggiamento che porta a lamentarsi dei problemi senza risolverli), 12 – imbroglioni (le persone che ingannano gli altri), 13 – competitivi (che hanno capacità o qualità tali da competere con la concorrenza), 14 – sistema-paese (coesione tra interessi economici e politici in un Paese), 15 – eccellenza (massima qualità), 16 – consumatore (colui che consuma, compra beni di consumo), 17 – imitativi (che imitano), 18 – ancorché (benché, sebbene), 19 – gondola (tipica imbarcazione di Venezia), 20 – ipermercati (supermercati di enormi dimensioni), 21 – made in Italy (fatto in Italia, si dice di tutto l'insieme di prodotti che l'Italia esporta all'estero)

La riflessione personale

- Alla fine dell'unità, potete facilitare il trasferimento dal generico alla sfera personale di quanto discusso e analizzato svolgendo la seguente attività: fotocopiate la scheda numero 3 a pagina 106 e consegnatene una copia ad ogni studente.

Il compito consiste nel compilare la scheda tenendo presente il proprio atteggiamento rispetto a quanto indicato. Al termine, invitate gli studenti a riferire i contenuti principali della loro riflessione dando luogo ad una discussione in plenum.

CHIAVI UNITÀ 21

Per cominciare…

1 mozzarella di bufala, ricotta, prosciutto, aceto balsamico, parmigiano reggiano

B1 Le parole evidenziate in nero sono dei participi presenti e derivano dai seguenti verbi:
proven**ienti**-provenire, ri**dente**-ridere, abbond**ante**-abbondare, preoccu**pante**-preoccupare

C1 1. rischio, 2. sì, 3. base, 4. che, 5. questo, 6. fanno

2 1. Chi è vegetariano anche di etichetta, come salsa può impiegare la magnifica "Contadina – Roma style tomatoes", 2. Un po' di pecorino aggiunto sulla pasta a questo punto non scandalizza più nessuno. 3. La produzione italiana subisce dei danni economici e di immagine a causa dell'inganno globale per i consumatori dinanzi al quale ci troviamo

E 1. ancora, 2. laboratorio, 3. rispetto, 4. il, 5. questo, 6. produzione, 7. alle, 8. vita, 9. ricchi, 10. qualità, 11. lungo, 12. è/viene, 13. molta, 14. quantità, 15. dove, 16. mese, 17. tutte, 18. continua

F1 1. mediterranea, ingredienti, 2. conservazione, scadenza, 3. vegetariano, verdura, 4. nutriente, fresca, 5. amaro, salato

2 a. formaggio, b. verdure e affettati, c. spaghetti al sugo, d. patatine fritte, e. carne, f. grigliata di pesce, g. insalata mista, h. pizza, i. minestra di fagioli, l. bruschetta
antipasti: b, l, primi piatti: c, h, i, secondi piatti: e, f, contorni: a, d, g

G1 1. a, 2. c, 3. d, 4. b

Scheda numero 1
Unità 21 – Sezione A

nozze	acqua	sedia
carne	banchetto	pasta
bottiglia	festa	pranzo

stuzzicadenti	stuzzichini	olive
tovaglia	aperitivi	dessert
pomodori	snacks	cena

volare	tana	oro
uccello	ali	nascondere
scovare	stanare	trovare

bocca	acqua	ciucciare
mano	denti	latte
bicchiere	bambino	neonato

taroccare	copiare	imitare
carte	foto	fare
destino	falso	marca

squisitezze	eleganza	cucina
vino	bontà	buongustaio
pregiato	gusto	prelibatezze

Scheda numero 2
Unità 21 – Sezione G

☐ agroalimentare ....

☐ ipermercati ....

☐ gondola ....

☐ vittimismo ....

☐ quote di esportazione ....

☐ ancorché ....

☐ bilancio ....

☐ contraffazioni ....

☐ concorrenza sleale ....

☐ competitivi ....

☐ imbroglioni ....

☐ sistema paese ....

☐ made in italy ....

☐ marchio ....

☐ sapore italiano ....

☐ etichetta ....

☐ indurre ....

☐ imitativi ....

☐ consumatore ....

☐ eccellenza ....

☐ scaffali ....

Scheda numero 3
La riflessione personale

Per me un tipico prodotto italiano è:

....

....

Mi piace/non mi piace la pasta perché:

....

....

La vera pizza italiana secondo me è:

....

....

È un noto prodotto italiano che a me non piace proprio:

....

....

Di tutti i prodotti *made in Italy* preferisco soprattutto:

....

....

Secondo me, contraffazioni e imitazioni sono:

....

....

Vorrei avere in casa i seguenti prodotti gastronomici italiani:

....

....

Vorrei andare a .... (città) per mangiare il vero .... (prodotto tipico):

....

....

Che fine ha fatto l'amicizia?

La grammatica in pillole

- La questione grammaticale su cui si intende riflettere nella sezione C riguarda la costruzione perifrastica *stare* + gerundio. Dopo aver svolto l'attività indicata, potete formulare qualche domanda del tipo: *secondo te cosa sta facendo in questo momento …*; *cosa stavi facendo ieri alle cinque mentre…* ecc. Infine, invitate gli studenti a consultare l'Appendice grammaticale presente nel Quaderno degli esercizi a pagina 122.

- La questione grammaticale della sezione F è invece quella relativa alla costruzione causale *far fare qualcosa a / da qualcuno*. Dopo aver svolto l'attività indicata, potete consultare l'Appendice grammaticale presente nel Quaderno degli esercizi a pagina 122.

Lavoriamo sul lessico

- Dopo aver svolto le attività indicate nella sezione D potete dedicarvi al contenuto della scheda numero 1 a pagina 109. Fate lavorare gli studenti in coppia. Fotocopiate la scheda e consegnatene una copia ad ogni studente. Il compito consiste nel ritrovare le parole date, tratte dal testo a pagina 124, disposte in orizzontale (anche da destra a sinistra!) o verticale (anche dal basso in alto!) all'interno del crucipuzzle. Se volete, potete trasformare l'attività in una gara a tempo. Al termine, procedete con il riscontro in plenum.

Soluzione:.

	L	A	T	E	N	Z	A →	E ←	R	O	L	A	V		
	E								V ↑		R				
	G			A ↑				E	I		A				
	A		S		Z	S		R	S		P				
A	M	I	C	I	Z	I	A →	O	U		P				
S	E ↓		O	N	E	N	D	U	L		O				
S	M		M	D	L	T	O ←	I	C	C	E	R	T	N	I
O	A		P	I	O	O	L		S		T				
L	T		A	S	V	M	E		E		O ↓				
U	U		R	S	E	O ↓	S								
T	R		I	O	P		C								
I	A ↓		R	L	A		E								
Z			E ↓	U	S		N								
Z				B	N		Z								
A				I	O		A ↓	L	U	M	R	O	F		
R				L	C		←								
E ↓				E ↓											

107

Ascoltiamo

- Dopo aver svolto le attività indicate al punto E, potete ampliare la comprensione dell'ascolto utilizzando la scheda numero 2 a pagina 110.
Gli studenti lavorano individualmente e cercano di completare la scheda con le informazioni richieste. A tale scopo, sarà utile ascoltare nuovamente il brano una o due volte. Al termine, procedete con il riscontro in plenum.

Soluzione: Il proverbio dice: chi trova un amico trova un tesoro; Fattori per cui gli uomini hanno meno amici: aumento delle ore di lavoro e avvento di internet; Media di amici degli uomini 20 anni fa e oggi: 4 e 2; Fasce di età maggiormente prive di amici: 25-35 anni e pensionati; Motivi per cui in tali fasce di età si hanno pochi amici: per i primi il maggior impegno richiesto da famiglia e carriera, per i secondi la morte degli amici; Moderni sostituti degli amici: colleghi di lavoro, genitori di bambini coetanei dei propri figli, chatroom e forum in internet; Differenze tra amicizie e conoscenze: i conoscenti sono molto più numerosi degli amici ma con loro non si ha lo stesso rapporto di fiducia; Elementi che assumono maggior valore dell'amicizia: lavoro, amore, famiglia; Motivi per cui le donne con famiglia rinunciano a coltivare le amicizie: perchè sono molto impegnate con la famiglia e perché le conversazioni di un tempo, soprattutto quelle riguardanti l'uomo giusto, non hanno più senso

La produzione orale

- Dopo che gli studenti avranno svolto le attività indicate nella sezione H, potete moderare la conversazione invitando gli studenti a raccontare le loro esperienze personali con amici, quelle belle e quelle meno belle e ad esprimere qual è il loro modo di intendere l'amicizia.

La riflessione personale

- Alla fine dell'unità, potete facilitare il trasferimento dal generico alla sfera personale di quanto discusso e analizzato svolgendo la seguente attività: fotocopiate la scheda numero 3 a pagina 111 e consegnatene una copia ad ogni studente.
Il compito consiste nel compilare la scheda tenendo presente il proprio atteggiamento rispetto a quanto indicato. Al termine, invitate gli studenti a riferire i contenuti principali della loro riflessione dando luogo ad una discussione in plenum.

CHIAVI UNITÀ 22

A1 1. fa finta di, 2. del cuore, 3. alle prese con, 4. ti fai aiutare, 5. altro che

2 1. legame indissolubile, 2. si è alle prese con, 3. in uscita, 4. ti dà una mano

B1 1. a, 2. c, 3. a, 4. b, 5. d

C *Esempio*: Pensavo che stessi parlando con me; Spero che tu non stia dicendo sul serio

D1 stupido/intelligente, allargare/ampliare, complicato/semplice, vietare/permettere, libertà/indipendenza, indispensabile/necessario

2 1. rassicurante, 2. esistenza, 3. tradimento, 4. mensile, 5. tendenza

3 quotidiano, settimanale, bimestrale, trimestrali, semestrali, annuale, biennale

E1 socievole, coltivare, segreto

2 1. di autentici amici, 2. cui si può contare, 3. scompaiono poco per volta, 4. con cui si andava, 5. socievole, vado fuori, 6. a coltivare le amicizie

F 1. mi faccio dare, 2. fatti prestare, 3. mi faccio fare, 4. si è fatto aspettare

G1 1. questa, 2. quello, 3. si, 4. suoi, 5. che, 6. si, 7. lo, 8. chi, 9. si, 10. chi, 11. noi, 12. ci, 13. nostra, 14. che, 15. che, 16. che, 17. loro, 18. che

Scheda numero 1
Unità 22 – Per cominciare...

A	L	A	T	E	N	Z	A	E	R	O	L	A	V	F	W
D	E	B	S	R	D	G	A	A	V	V	I	R	E	F	B
A	G	R	F	F	A	S	R	E	O	I	L	A	R	A	B
R	A	F	S	S	Z	S	F	W	R	S	O	P	G	E	V
A	M	I	C	I	Z	I	A	P	O	U	I	P	G	D	B
S	E	A	O	N	E	N	D	O	U	L	S	O	N	C	A
S	M	T	M	D	L	T	O	I	C	C	E	R	T	N	I
O	A	E	P	I	O	O	L	I	V	S	E	T	D	B	H
L	T	I	A	S	V	M	E	N	B	E	C	O	E	T	I
U	U	Y	R	S	E	O	S	T	E	E	I	V	S	R	O
T	R	R	I	O	P	O	C	R	G	A	O	I	Q	E	S
I	A	E	R	L	A	I	E	V	I	T	L	O	A	F	E
Z	A	L	E	U	S	N	N	I	K	R	O	E	O	L	B
Z	F	P	F	B	N	E	Z	O	A	E	L	R	I	O	A
A	R	I	E	I	O	A	A	L	U	M	R	O	F	P	V
R	F	D	I	L	C	R	A	D	V	S	R	R	L	U	A
E	A	Z	K	E	S	F	F	A	A	A	E	N	M	A	

- AMICIZIA
- RAPPORTO
- LEGAME
- INDISSOLUBILE
- INTRECCIO
- VALORE
- CUORE
- ADOLESCENZA

- FORMULA
- CONSAPEVOLEZZA
- LATENZA
- SCOMPARIRE
- ESCLUSIVO
- SINTOMO
- ASSOLUTIZZARE
- MATURA

Scheda numero 2
Unità 22 – Sezione E

Il proverbio dice:

....

Fattori per cui gli uomini hanno meno amici:

....

Media di amici degli uomini 20 anni fa e oggi:

....

Fasce di età maggiormente prive di amici:

....

Motivi per cui in tali fasce di età si hanno pochi amici:

....

Moderni sostituti degli amici:

....

Differenze tra amicizie e conoscenze:

....

Elementi che assumono maggior valore dell'amicizia:

....

Motivi per cui le donne con famiglia rinunciano a coltivare le amicizie:

....

Scheda numero 3
La riflessione personale

Il/la mio/a miglior amico/a da bambino…:

....

....

Il nostro rapporto consisteva in…:

....

....

Il rapporto attuale che ho con "il mio miglior amico" di quando ero bambino:

....

....

I miei migliori amici oggi:

....

....

Che tipo di rapporto ho con i miei amici:

....

....

Amici con cui ho perso contatti:

....

....

Secondo me, l'amicizia…:

....

....

Sarebbe bello se i miei amici ed io:

....

....

Lavoriamo sul lessico

- Dopo aver svolto le attività indicate nella sezione C, potete dedicarvi al contenuto della scheda numero 1 a pagina 114. Fate lavorare gli studenti in coppia. Fotocopiate la scheda e prima di consegnarla ai corsisti, invitateli a rileggere con attenzione il testo A a pagina 130-131, spiegando che farete un'attività in cui è necessario uno sforzo di memoria! Consegnate la scheda alle coppie, quindi invitateli ad associare le parole della colonna a sinistra con quelle a destra, così come compaiono nel testo. Se volete, potete trasformare l'attività in una gara a tempo. Al termine, procedete con il riscontro in plenum.

Soluzione: capelli-rasati, aggiornamento-tecnologico, modello-superato, navigatore-satellitare, vetri-bruniti, sospensioni-intelligenti, ovolone-azzurro, roba-medievale, lastrone-blindato, forno-vecchio, prestiti-rapidi, comando-vocale, biscottino-nero, telefonate-sbagliate

La grammatica in pillole

- La questione grammaticale su cui si intende riflettere nella sezione D1 e 2, riguarda il discorso indiretto. Dopo aver svolto le attività indicate, potete ricondurre l'attenzione degli studenti sul brano a pagina 130-131. Scrivete alla lavagna alcune frasi del testo mettendo in evidenza la scelta stilistica dell'autore, che elimina i segni di punteggiatura prima di un discorso diretto.

  Potete trascrivere in maniera "convenzionale" alcune delle frasi in questione alla lavagna, ad esempio:

  Si presenta: - "Dottor Niù, consulente di aggiornamento tecnologico per famiglie".
  "Diamoci subito da fare" - dice il dottor Niù – "la sua vita va organizzata e rimodernata. Cominciamo dalla sua auto".
  "Ma ha solo tre anni" – dico io.
  "Tre anni sono secoli nella new economy" – spiega.
  "Però funziona bene" – dico io.
  "Si vede che non guarda la pubblicità" – ride il dottor Niù.

- Chiedete agli studenti di trasformare le frasi alla lavagna in discorso indiretto e, se volete, di continuare così analizzando tutto il brano. Infine, invitate gli studenti a consultare l'Appendice Gram-

maticale presente nel Quaderno degli Esercizi a pagina 123.
- La questione grammaticale della sezione D3 e 4 è invece quella relativa ai sostantitivi presi in prestito dalla lingua inglese. Dopo aver svolto le attività indicate, potete chiedere agli studenti se conoscono altre parole "italiane", che di fatto vengono da altre lingue, ad esempio *chaffeur*, *film*, *computer*, eccetera, quindi consultate l'Appendice grammaticale presente nel Quaderno degli esercizi a pagina 104-105.

Ascoltiamo

- Dopo aver svolto le attività indicate al punto G, potete continuare a lavorare sull'ascolto utilizzando la scheda numero 2 a pagina 115.

  Gli studenti lavorano individualmente e cercano di completare la scheda indicando se le affermazioni in essa contenute sono Vere o False. A tale scopo, sarà utile ascoltare nuovamente il brano. Al termine, procedete con il riscontro in plenum.

Soluzione: 1) V, 2) V, 3) F, 4) F, 5) V, 6) V, 7) F, 8) F, 9) V, 10) V, 11) F, 12) V

La produzione orale

- Dopo che gli studenti avranno svolto le attività indicate nella sezione F, invitateli a dividersi in due gruppi: da una parte i sostenitori dello sviluppo tecnologico e dall'altra coloro che considerano tale sviluppo, almeno in parte, pericoloso.

- Invitate i due gruppi a fissare alcuni punti a sostegno della loro posizione, quindi lasciate che ognuno esprima agli altri il proprio punto di vista, moderando la discussione scaturita dai diversi atteggiamenti.

La riflessione personale

- Alla fine dell'unità, potete facilitare il trasferimento dal generico alla sfera personale di quanto discusso e analizzato svolgendo la seguente attività: fotocopiate la scheda numero 3 a pagina 116 e consegnatene una copia ad ogni studente.

  Il compito consiste nel compilare la scheda tenendo presente il proprio atteggiamento rispetto a quanto indicato. Al termine, invitate gli studenti a riferire i contenuti principali della loro riflessione dando luogo ad una discussione in plenum.

CHIAVI UNITÀ 23

Prima di cominciare…

3 Lo scrittore ha chiamato Niù il suo personaggio che vuole rinnovare sempre tutto, perchè questo è il modo in cui un italiano scriverebbe la parola inglese *new*, basandosi solo sulla sua pronuncia.

A2 1, 3, 5, 7, 9, 10

B1 1. diamoci subito da fare, 2. non è fatta per, 3. un optional, 4. è roba medievale, 5. mi prosciuga il conto in banca, 6. hanno enormemente mutato le loro funzioni

  2 *da sinistra verso destra e dall'alto in basso*: a, in, al, di, in, da

C1 perfettamente, puramente, velocemente, fortunatamente, intelligentemente, facilmente

  2 mutuo/prestito, esibire/mostrare, lentamente/rapidamente, superato/moderno, riempire/svuotare, mutare/cambiare

D1 Il dottor Niù dice: "La sua porta di legno è roba medievale".

  2 Femminili: new profession, new economy; maschili: new way of life, optional, games. Il genere di queste espressioni corrisponde al genere che ha la loro traduzione in italiano (ad esempio, *la* nuova economia e *il* nuovo modo di vita).

  3 *Possibili risposte*: nuove professioni, nuovo sistema economico, nuovo modo di vivere, accessorio, giochi.

E1 1. si è mai dato per vinto, 2. dare alla testa, 3. dia nell'occhio, 4. datevi una mossa, 5. darmi a bere

  2 1. b, 2. c, 3. a, 4. c, 5. b, 6. c, 7. c, 8. a, 9. d, 10. a

G2 1. b, 2. c, 3. c, 4. b

  3 1. b, 2. a

Scheda numero 1
Unità 23 – Sezione A

sospensioni	vecchio
aggiornamento	sbagliate
ovolone	superato
prestiti	medievale
vetri	blindato
modello	bruniti
telefonate	intelligenti
comando	azzurro
roba	satellitare
lastrone	nero
forno	rasati
biscottino	tecnologico
capelli	vocale
navigatore	rapidi

Scheda numero 2
Unità 23 – Sezione G

	V	F
1) Stefano Benni nell'intervista parlerà di argomenti diversi.	☐	☐
2) I libri di Stefano Benni sono molto tradotti all'estero.	☐	☐
3) Stefano Benni ha scritto libri in tante lingue diverse.	☐	☐
4) I libri di Stefano Benni sono rivolti ai giovani.	☐	☐
5) L'autore ha una visione desolata del mondo.	☐	☐
6) Secondo un personaggio di Benni l'intelligenza esisterà sempre.	☐	☐
7) Stefano Benni ha molti eroi.	☐	☐
8) Nei suoi libri l'autore esprime i suoi ideali politici.	☐	☐
9) L'autore sente di appartenere ad una squadra.	☐	☐
10) Per Benni il finale di un libro non rappresenta tutto il libro.	☐	☐
11) Con i suoi libri Benni cerca di contrastare la povertà.	☐	☐
12) Con i suoi libri Benni vuole offrire un'alternativa all'impoverimento culturale.	☐	☐

Scheda numero 3
La riflessione personale

Amo/non amo la tecnologia perché:

....

....

Tra i prodotti della tecnologia non potrei rinunciare a:

....

....

Tra i prodotti della tecnologia non sopporto:

....

....

Secondo me, i risultati più importanti in campo tecnologico sono:

....

....

Secondo me, gli aspetti più pericolosi dello sviluppo tecnologico sono:

....

....

La mia casa senza tecnologia:

....

....

Mi piacerebbe avere una macchina per:

....

....

Ascoltiamo

- Dopo aver svolto le attività indicate nella sezione A, potete continuare a lavorare sull'ascolto utilizzando la scheda numero 1 a pagina 119. Fate lavorare gli studenti in coppia. Copiate la scheda e ritagliate i bordi consegnando ad ogni coppia tutti i cartellini ricavati. Il compito consiste nel collegare gli elementi contenuti nella colonna di sinistra con quelli della colonna di destra (in corsivo) estratti dal brano ascoltato.
Al termine, procedete con il riscontro in plenum.

Soluzione:

una maldicenza ha un potere maggiore di una cosa vera
il pettegolezzo è più potente della verità

siamo maggiormente impressionati dal pettegolezzo che dall'osservazione della realtà
il gossip ha più effetto di ciò che abbiamo visto con i nostri occhi

sono stati presi in considerazione più di 100 studenti
hanno coinvolto 126 studenti

raccontando loro tantissime dicerie
bersagliandoli di pettegolezzi

coloro su cui è stato condotto l'esperimento erano disposti a considerare vero
le cavie tendevano a credere

commento sulle qualità di altre persone
lodi intessute da altri

il pettegolezzo è in grado di influenzare il nostro modo di vedere le cose e di agire
i gossip inducono anche opinioni e comportamenti della vita comune

una risorsa per acquisire nuove conoscenze
una fonte per apprendere nuove cose

il modo in cui nasce e si sviluppa un pettegolezzo
il processo di gestazione delle chiacchiere

il modo di agire di colui a cui è stata riferita una maldicenza
i comportamenti del fruitore del pettegolezzo

qualcuno gli ha raccontato un pettegolezzo
è stata passata una chiacchiera maligna

gli studenti non hanno voluto lavorare insieme
i ragazzi hanno rifiutato di far coppia

Lavoriamo sul lessico

- Dopo aver svolto le attività indicate nella sezione D, potete dedicarvi al contenuto della scheda numero 2 a pagina 120. L'attività è quella del celebre gioco di società *Taboo*. Fotocopiate la scheda e ricavatene dodici cartellini tagliando lungo le linee tratteggiate. Dividete la classe in due grandi gruppi. A turno uno studente viene alla cattedra, pesca uno dei cartellini e cerca di spiegare al proprio gruppo la parola in neretto in esso contenuta, facendo attenzione a non dire nessuna delle altre quattro parole indicate. Per ogni parola si ha un minuto di tempo a disposizione. Assegnate un punto per ogni parola indovinata e al termine tirate le somme dei punti ottenuti dai due gruppi.

La grammatica in pillole

- Prima di svolgere l'attività indicata nella sezione F1, potete scrivere alla lavagna le seguenti frasi:

Chiara è molto in ritardo .... ha detto che non ci dobbiamo preoccupare.
Perché non hai studiato .... che andare a spasso?
Prendi la moto .... vai a piedi?
L'ho letto .... non me lo ricordo.

oppure   però/ma   invece

- Chiedete agli studenti di completarle con le congiunzioni date (in ordine: *però/ma, invece, oppure, però/ma*), quindi invitateli a svolgere l'attività indicata nel libro. Al termine, consultate l'Appendice grammaticale presente nel Quaderno degli esercizi a pagina 112-113.

- La questione grammaticale della sezione F2 invece riguarda alcuni indefiniti. Lasciate che gli studenti vi indichino le differenze tra *ogni* e *ognuno* e tra *alcuno* e *qualcuno*, magari formulando delle frasi che li contengano, quindi invitateli a consultare l'Appendice Grammaticale presente nel Quaderno degli Esercizi a pagina 109.

La produzione orale

- Dopo che gli studenti avranno svolto le attività della sezione G, potete divertirvi a giocare alla "fabbrica del pettegolezzo". Dividete la classe in gruppi di 3 o 4 persone e invitateli a costruire delle maldicenze credibili su persone e personaggi a propria scelta, a patto che siano conosciuti da tutti, come ad esempio l'insegnante (!) una celebrità del cinema eccetera. Al termine, ascoltate tutti i pettegolezzi che gli studenti sono riusciti a "fabbricare"!

La riflessione personale

- Alla fine dell'unità, potete facilitare il trasferimento dal generico alla sfera personale di quanto discusso e analizzato svolgendo la seguente attività: fotocopiate la scheda numero 3 a pagina 121 e consegnatene una copia ad ogni studente.

Il compito consiste nel compilare la scheda tenendo presente il proprio atteggiamento rispetto a quanto indicato. Al termine, invitate gli studenti a riferire i contenuti principali della loro riflessione dando luogo ad una discussione in plenum.

CHIAVI UNITÀ 24

Per cominciare...

1   Parlano soprattutto di pettegolezzi riguardanti personaggi famosi.

A2 1. il pettegolezzo è, 2. maldicenze o alle lodi, 3. anche opinioni e comportamenti, 4. chiacchiera buona o maligna, 5. dell'informazione diretta

B1 Mass media: trasmissioni, telegiornali, rotocalchi, riviste, paparazzi
Sfera personale: chiacchiera, retroscena, curiosità, pettegolezzi, privacy
Personaggi dello spettacolo: popolarità, attrice, celebrità, famosi

3   1. c, 2. b, 3. c, 4. b, 5. d

C1 indice/segno, premessa/presupposto, retroscena/segreto, primato/record, mosse/spostamenti, intendere/avere intenzione

2   1. tagliati fuori, 2. chiunque sia uscito dall'anonimato, 3. non date loro retta, 4. sul nostro conto, 5. ficcare il naso nelle faccende altrui

D1 hostess/assistente di volo, film/pellicola, manager/dirigente, sandwich/panino, hobby/passatempo, chauffeur/autista, meeting/riunione, monitor/schermo

3   1) diva, intervista, 2) notorietà, violata, 3) stampa, scandali

E2 1. incrocio, 2. telecamera, 3. tutti, 4. diventato/ormai, 5. anno, 6. siamo, 7. chi, 8. si, 9. la, 10. quale, 11. però, 12. costante, 13. ultimi, 14. continua, 15. ogni, 16. mezzi, 17. nei, 18. di, 19. se, 20. stazione, 21. fa, 22. vita

Scheda numero 1
Unità 24 – Sezione A

siamo maggiormente impressionati dal pettegolezzo che dall'osservazione della realtà	*bersagliandoli di pettegolezzi*
commento sulle qualità di altre persone	*una fonte per apprendere nuove cose*
gli studenti non hanno voluto lavorare insieme	*hanno coinvolto 126 studenti*
raccontando loro tantissime dicerie	*lodi intessute da altri*
coloro su cui è stato condotto l'esperimento erano disposti a considerare vero	*i comportamenti del fruitore del pettegolezzo*
qualcuno gli ha raccontato un pettegolezzo	*i ragazzi hanno rifiutato di far coppia*
il pettegolezzo è in grado di influenzare il nostro modo di vedere le cose e di agire	*i gossip inducono anche opinioni e comportamenti della vita comune*
una maldicenza ha un potere maggiore di una cosa vera	*il gossip ha più effetto di ciò che abbiamo visto con i nostri occhi*
il modo in cui nasce e si sviluppa un pettegolezzo	*il processo di gestazione delle chiacchiere*
il modo di agire di colui a cui è stata riferita una maldicenza	*il pettegolezzo è più potente della verità*
una risorsa per acquisire nuove conoscenze	*è stata passata una chiacchiera maligna*
sono stati presi in considerazione più di 100 studenti	*le cavie tendevano a credere*

Scheda numero 2
Unità 24 – Sezione D

trasmissione	palla	universo	informazioni
televisione/TV	sfera	terra	notizie
film	calcio	stelle	giornali
telegiornale	gioco	pianeti	telegiornali
radio	sport	sistema solare	leggere

pettegolezzo	curiosità	riviste	divo
chiacchiera	sapere	giornali	celebrità
diceria	pettegolezzo	settimanali	cantante
curiosità	fatti	leggere	famoso
cattiveria	donna	mensili	attore

paparazzi	scheletro	armadio	privacy
fotografi	ossa	vestiti	privato
macchina fotografica	morto	camera	vita
giornali	armadio	scheletro	personale
scrivere	persona	biancheria	sfera

Scheda numero 3
La riflessione personale

Per me pettegolezzo significa:

....

....

Mi piace/non mi piace ascoltare pettegolezzi perché:

....

....

Mi è capitato di ascoltare pettegolezzi e...:

....

....

Si è detto di me...:

....

....

Ho detto di altri...:

....

....

Per me privacy significa...:

....

....

Quanto conta per me il giudizio degli altri:

....

....

Mi capita/non mi capita di giudicare gli altri:

....

....

Della vita degli altri mi interessa soprattutto:

....

....

La grammatica in pillole

- La questione grammaticale su cui si intende riflettere nella sezione B riguarda la forma passiva. Dopo aver svolto le attività indicate, potete proporre agli studenti altri frasi da volgere alla forma passiva tratte dall'Appendice grammaticale a pagina 118 del Quaderno degli esercizi. Scrivetele alla lavagna:

Il giudice interroga l'imputato.
L'etnologo studia la cultura e la civiltà dei vari popoli.
Dobbiamo finire questo lavoro entro la fine del mese.
In giornata il meccanico riparerà l'auto.
La bolletta del telefono deve essere pagata.

- Chiedete agli studenti di trasformare le frasi in questione alla forma passiva (per quanto riguarda l'ultima frase, già al passivo, invitate gli studenti a trovare un'altra maniera di formare il passivo) approfittandone per ripetere le regole di formazione di tale costrutto. Consultate quindi la suddetta appendice.

- La questione grammaticale della sezione G riguarda l'uso e il significato di alcune preposizioni. Lasciate che gli studenti vi indichino le differenze tra quelle indicate e invitateli a esprimere le loro incertezze riguardo all'uso delle preposizioni in modo da dar luogo ad una discussione possibilmente "chiarificatrice". Eventualmente, potete proporre una ricerca sui possibili significati delle preposizioni, la loro origine, il contesto in cui appaiono, da svolgere utilizzando testi di grammatiche diverse, eserciziari ecc. e riprendere quindi la discussione all'incontro successivo.

Lavoriamo sul lessico

- Dopo aver svolto le attività indicate nella sezione D, potete dedicarvi al contenuto della scheda numero 1 a pagina 124. Fotocopiate la scheda e consegnatene una copia ad ogni coppia di studenti. Il compito consiste nell'inserire le parole in alto, tratte dal brano della sezione C, nella giusta "ragnatela", ovvero nella ragnatela che contiene altre parole associabili a quella da inserire. Se volete, potete trasformare l'attività in una gara a tempo.
Soluzione: stressante, indugio, assiduamente, ordinare, cappuccino, sbandierare, istinto, aperitivo, espresso, corretto, delizie, sfidare

La produzione orale

Dopo che gli studenti avranno svolto le attività della sezione F, potete dare agli studenti la possibilità di... criticare gli italiani. Dividete la classe in gruppi e invitate i corsisti ad elencare tutti i difetti e i comportamenti ritenuti "tipici" per cui ci si prende gioco degli italiani nella loro nazione, aggiungendovi anche le idee che si sono fatti personalmente sulle particolarità degli abitanti del Bel Paese. Al termine, ascoltate tutte le "accuse" che sono state mosse al popolo italiano!

Ascoltiamo

- Dopo aver svolto le attività indicate nella sezione H, potete continuare a lavorare sull'ascolto utilizzando la scheda numero 2 a pagina 125. Il compito consiste nel completare le frasi con un massimo di quattro parole. A tale scopo riproponete l'ascolto del testo, sia per svolgere l'attività che per la sua verifica.
Al termine, procedete con il riscontro in plenum.
Soluzione: 1. clientela del Suo bar, 2. Mentre invece al mattino, 3. né corto né ristretto, 4. un punto d'incontro, 5. riversare i propri problemi, 6. si aprono, anche proprio

La riflessione personale

- Alla fine dell'unità, potete facilitare il trasferimento dal generico alla sfera personale di quanto discusso e analizzato svolgendo la seguente attività: fotocopiate la scheda numero 3 a pagina 126 e consegnatene una copia ad ogni studente.
Il compito consiste nel compilare la scheda tenendo presente il proprio atteggiamento rispetto a quanto indicato. Al termine, invitate gli studenti a riferire i contenuti principali della loro riflessione dando luogo ad una discussione in plenum.

CHIAVI UNITÀ 25

Per cominciare...
da sinistra a destra e dall'alto al basso: grappa, tazzina da caffè, caffè lungo, caffettiera automatica, caffettiera, caffelatte, chicchi di caffè, caffè macinato, tazza, caffè ristretto.

A 1. per, 2. che, 3. di, 4. alla, 5. forse, probabilmente, magari, 6. si, 7. si, 8. in, 9. nel, 10. uno, 11. ma, 12. molti/alcuni, 13. in, 14. Da, 15. ne, 16. di/d', 17. in,

18. poi, 19. di, 20. anche, 21. si, 22. ne, 23. verso, 24. si

B2 1 "la pianta venne inizialmente conosciuta come medicinale", "presto venne utilizzata per...."

C3 1, 4, 5, 8

D1 *possibili risposte*: presenza: presente, presenziare; corretto: correttezza, correggere; consumare: consumo, consumazione; frequentare: frequenza, frequente; osservare: osservatore, osservatorio; preciso: precisione, precisamente

2 in effetti, in fondo, in grado, in particolare, in genere, in realtà, in forza, in occasione, in favore

3 sgradevole/piacevole, superfluo/indispensabile, largo/stretto, precedente/successivo, originale/banale, remoto/vicino

E 1. occhio, 2. fareste bene a, 3. sbandierare in pubblico, 4. per certi aspetti, 5. vi avverte, 6. sciolto o esitante che sia, 7. nulla da spartire, 8. gettare un'ombra di disagio

2 *tipo di clientela*: *happy hour*/gente giovane, anche di fuori, sotto i 30 anni; *la mattina*/abitudinari, anziani, gente che non lavora; *soprattutto la sera*/giovani dai 18 ai 25 anni **Abitudini della clientela**: leggere il giornale.

3 1. b, 2. c

Scheda numero 1
Unità 25 – Sezione C

stressante   **corretto**   **delizie**   **espresso**   **istinto**   **sbandierare**

aperitivo   **indugio**   **sfidare**   **ordinare**   **cappuccino**   **assiduamente**

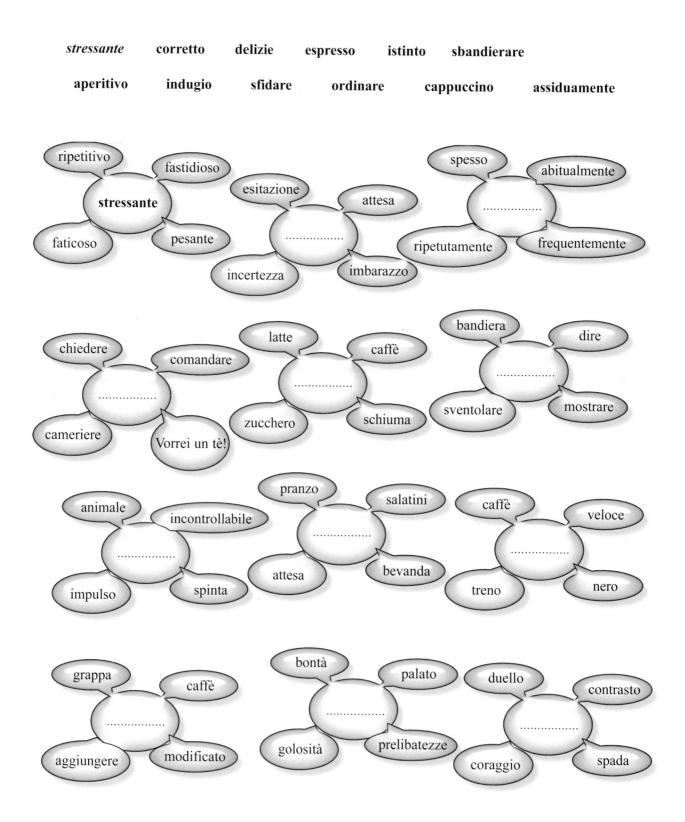

Scheda numero 2
Unità 25 – Sezione H

1. Mi trovo al Caffè Sandi con Donatella. Come è cambiata la .... del tuo bar in questi ultimi anni?

2. Essendo un bar abbastanza giovane, si rinnova sempre la clientela. .... ci sono gli habituée del posto, che sono persone anziane.

3. Il caffè per eccellenza è il caffè "giusto", né lungo ...., comunque fatto con una certa cura.

4. L'happy hour è una novità di questi ultimi anni e anche qui ha preso abbastanza piede, si fa soprattutto il venerdì sera e poi è .... di tanta gente, anche da fuori, quindi...

5. Il lavoro del bar, di per se stesso, è bello perché il barista è comunque uno psicologo, perché arrivano tutti lì a .... Il barista è uno che sa tutto, che deve ascoltare tutti...

6. Alla barista .... intimamente, parlano di tutto.

Scheda numero 3
La riflessione personale

Cosa mi piace del bar.:

....

....

Cosa non mi piace del bar:

....

....

Nel mio paese frequento/non frequento dei locali tipo bar:

....

....

Preferisco i locali di città/di campagna perché:

....

....

Come in Italia c'è il rito del caffè, nel mio Paese esiste un'usanza simile:

....

....

Riguardo a questa usanza del mio Paese, gli stranieri in genere non sanno che:

....

....

Per me le consuetudini e le tradizioni sono/non sono importanti perché:

....

....

Considero tipico degli italiani:

....

....

C'è una cosa che mi piacerebbe fare come gli italiani:

....

....

Lavoriamo sul lessico

- Dopo aver svolto le attività indicate nelle sezioni A, B e C, potete dedicarvi al contenuto della scheda numero 1 a pagina 129 allo scopo di consolidare il lessico su cui ci si è appena esercitati. Fotocopiate la scheda e ritagliate lungo le linee tratteggiate ricavando una "strisciolina" per ogni domanda. Gli studenti lavorano in gruppi di tre persone. Ogni gruppo riceve il set di "striscioline" e le dispone sul banco con la parte scritta rivolta verso il basso. A turno uno studente pesca una domanda, la legge ad alta voce e dà la risposta, aggiudicandosi un punto se quest'ultima è corretta. Se non conosce la risposta o risponde in maniera errata, può passare la domanda ad un compagno del gruppo a sua scelta. Se nessuno conosce la risposta, si metterà la domanda da parte. Si continua così fino al termine delle "striscioline", quindi si procede con il riscontro in plenum. Se la classe è molto numerosa e non avete tempo per ritagliare, potete consegnare ad ogni gruppo una fotocopia con le domande e dare quattro o cinque minuti di tempo per rispondere. In ogni caso, controllate che nessun gruppo utilizzi il libro di testo per cercare le risposte.

Soluzione:

Come possiamo definire una mania, una passione collettiva?	delirio
Come possiamo definire il recupero della salute?	guarigione
Come possiamo definire la mancanza di riconoscenza?	ingratitudine
Come possiamo definire una grande quantità?	mucchio
Come possiamo definire qualcosa di provvisorio?	temporaneo
Come possiamo dire "si diffuse" con altre parole?	si propagò
Se ci siamo tagliati in modo leggero, cosa mettiamo sulla ferita?	cerotto
Un sinonimo per pasticche	compresse
Cosa usiamo per fare una puntura?	la siringa
Che cosa si applica su un braccio rotto?	il gesso
Con che cosa misuriamo la febbre?	con il termometro

Con che cosa ascoltiamo il battito del cuore?	con lo stetoscopio
Da chi andiamo se abbiamo mal di denti?	dal dentista
Da chi andiamo se abbiamo problemi alla vista?	dall'oculista
Da chi andiamo se il bambino sta male?	dal pediatra
Da chi andiamo se dobbiamo fare un piccolo intervento?	dal chirurgo
Da chi andiamo se abbiamo la febbre o la tosse?	dal medico generico
Da chi andiamo se il gatto deve essere vaccinato?	dal veterinario
Cosa diamo al farmacista per avere alcuni medicinali?	la ricetta
Come si chiama un ospedale che non appartiene allo stato?	clinica privata
Se abbiamo solamente un po' di febbre e magari di tosse è una semplice...	influenza

Ascoltiamo

- Dopo aver svolto le attività indicate nella sezione D, potete continuare a lavorare sull'ascolto utilizzando la scheda numero 2 a pagina 130. Il compito consiste nel collegare le parole contenute nella colonna di sinistra con le espressioni o i sinonimi presenti in quella di destra. Si può lavorare individualmente o in coppia.

Al termine, procedete con il riscontro in plenum.

Soluzione: 1. m, 2. f, 3. a, 4. q, 5. c, 6. i, 7. o, 8. b, 9. r, 10. d, 11. g, 12. p, 13. e, 14. h, 15. l, 16. n

La produzione orale

- Dopo che gli studenti avranno svolto le attività della sezione E, potete invitare gli studenti a ritornare bambini e giocare "al dottore". Dividete la classe in due grandi gruppi. Da una parte stanno i "pazienti" e dall'altra i "dottori". A turno uno dei pazienti illustra un suo problema di salute e il medico risponde e consiglia. Se il gruppo è molto numeroso, potete svolgere l'attività suddividendo gli studenti in gruppi più piccoli.

La grammatica in pillole

- La questione grammaticale su cui si intende riflettere nella sezione F riguarda le diverse funzioni della particella *si*. A sostegno della riflessione su tali funzioni, potete scrivere le seguenti frasi alla lavagna, tratte dall'Appendice grammaticale, nella sezione relativa ai verbi riflessivi a pagina 117 del Quaderno degli esercizi e al *si* impersonale e passivante a pagina 118 :

Lui si lava.
Carla e Alberto si guardavano di continuo.
Ogni anno in Europa si finanziano vari progetti.
In quel ristorante si mangia molto bene.

- Chiedete agli studenti di indicarvi le funzioni del *si* nelle diverse frasi, quindi consultate l'Appendice grammaticale alle pagine suddette.

La riflessione personale

- Alla fine dell'unità, potete facilitare il trasferimento dal generico alla sfera personale di quanto discusso e analizzato svolgendo la seguente attività: fotocopiate la scheda numero 3 a pagina 131 e consegnatene una copia ad ogni studente.

Il compito consiste nel compilare la scheda tenendo presente il proprio atteggiamento rispetto a quanto indicato. Al termine, invitate gli studenti a riferire i contenuti principali della loro riflessione dando luogo ad una discussione in plenum.

CHIAVI UNITÀ 26

Per cominciare...

2 agopuntura, omeopatia, fitoterapia, shiatzu, chiropratica

A 1. B, 2. A, 3. A, 4. B, 5. B, 6. B, 7. A, 8. A, 9. A, 10. B

B *da sinistra verso destra e dall'alto al basso*: delirio, mucchio, guarigione, temporaneo, ingratitudine, si propagò.

C1 a) gesso: si usa in caso di rottura delle ossa; b) siringa: si usa per iniettare o prelevare un liquido; c) cerotti: si usano per coprire una ferita; d) stetoscopio: si usa per ascoltare il funzionamento di organi quali il cuore e i polmoni; e) termometro: si usa per misurare la temperatura corporea; f) compresse: si usano per curare malattie di natura diversa

2 *da sinistra verso destra e dall'alto al basso*: dentista, chirurgo, oculista, medico generico, pediatra, veterinario

3 1. medicinali, ricetta; 2. ospedali, cliniche; 3. influenza, analisi

D1 strutture vecchie, mancanza di acqua potabile, sporcizia

2 1, 4, 7, 8

F In questo caso non c'è differenza.

G1 prendere il ladro: arrestare, prendere un leone: catturare, prendere un diploma: conseguire, prendersi la responsabilità: assumersi, prendere tempo: temporeggiare, prendere i soldi in banca: prelevare

2 1. d, 2. i, 3. a, 4. b, 5. l, 6. m, 7. n, 8. e, 9. f, 10. h

H dentista, odontoiatra, medico, ottico

Scheda numero 1
Unità 26 – Sezione A – B – C

Come possiamo definire una mania, una passione collettiva?

Come possiamo definire il recupero della salute?

Come possiamo definire la mancanza di riconoscenza?

Come possiamo definire una grande quantità?

Come possiamo definire qualcosa di provvisorio?

Come possiamo dire "si diffuse" con altre parole?

Se ci siamo tagliati in modo leggero, cosa mettiamo sulla ferita?

Un sinonimo per pasticche...

Cosa usiamo per fare una puntura?

Che cosa si applica su un braccio rotto?

Con che cosa misuriamo la febbre?

Con che cosa ascoltiamo il battito del cuore?

Da chi andiamo se abbiamo mal di denti?

Da chi andiamo se abbiamo problemi alla vista?

Da chi andiamo se il bambino sta male?

Da chi andiamo se dobbiamo fare un piccolo intervento?

Da chi andiamo se abbiamo la febbre o la tosse?

Da chi andiamo se il gatto deve essere vaccinato?

Cosa diamo al farmacista per avere alcuni medicinali?

Come si chiama un ospedale che non appartiene allo stato?

Se abbiamo solamente un po' di febbre e magari di tosse è una semplice...

Scheda numero 2
Unità 26 – Sezione D

1. nosocomio	**a. che stanno per crollare**
2. carenze	**b. branca della medicina che elimina le cause della malattia tramite operazioni**
3. fatiscenti	**c. medico che cura i tumori**
4. cronica	**d. trasmissione di una malattia**
5. oncologo	**e. ripulita, risanata**
6. day-hospital	**f. mancanze**
7. padiglione	**g. letti leggeri per il trasporto di malati**
8. chirurgia	**h. contenitori per rifiuti**
9. sciatteria	**i. ricovero di un giorno**
10. contagio	**l. permanenze in ospedale**
11. barelle	**m. ospedale**
12. biancheria	**n. essere sottoposto a**
13. bonificata	**o. reparto**
14. cassonetti	**p. tessuti per uso personale e domestico**
15. degenze	**q. perenne**
16. subire	**r. trascuratezza, incuria**

Scheda numero 3
La riflessione personale

Vado spesso/raramente dal medico perché…:

....

....

Mi interesso/non mi interesso di medicina perché…:

....

....

Cosa penso della medicina tradizionale:

....

....

Cosa penso della medicina alternativa:

....

....

Cosa penso dei "rimedi delle nonne":

....

....

Quando da bambino andavo dal dottore…:

....

....

Le medicine ed io:

....

....

Sarebbe bello se i medici fossero:

....

....

Sarebbe bello se la medicina potesse:

....

....

La grammatica in pillole

- La questione grammaticale su cui si intende riflettere nella sezione C riguarda i diversi tipi di avverbi. Dopo aver svolto le attività indicate, potete soffermarvi a riflettere ancora sugli avverbi scrivendo alla lavagna le seguenti domande:

  come?   dove?   quando?   quanto?

- Fatevi indicare a quali domande rispondono gli avverbi indicati al punto 1, quindi scrivete alla rinfusa alcuni avverbi tratti dall'Appendice grammaticale a pag. 111 del Quaderno degli esercizi, ad esempio:

  oggi, così così, velocemente,
  ancora, giustamente, molto,
  leggermente, bene, dentro, davanti,
  là, ora, domani, volentieri

- Chiedete nuovamente di che tipo di avverbi si tratta e a quali domande possono essere associati, quindi invitate gli studenti a consultare la suddetta appendice.

- La questione grammaticale su cui si intende riflettere nella sezione F è relativa all'imperativo indiretto. Dopo aver svolto l'attività indicata, potete consultare l'Appendice grammaticale presente nel Quaderno degli esercizi a pagina 117.

Lavoriamo sul lessico

- Dopo aver svolto le attività indicate nelle sezioni A, B, C e D, potete dedicarvi al contenuto della scheda numero 1 a pagina 134. Fotocopiate la scheda e consegnatene una copia ad ogni coppia di studenti. Il compito consiste nell'individuare l'intruso in ogni riga della tabella e scriverlo nella quinta colonna. Oltre all'intruso, però, si dovrà scrivere la caratteristica che differenzia la parola scelta dalle altre. Di seguito si suggeriscono le possibili soluzioni, fermo restando che gli studenti potrebbero individuarne altre ugualmente valide.

Al termine, procedete con il riscontro in plenum.

bambino non è femminile
captate non è un infinito
soggetto non è un participio passato
una *persona* si può toccare

mestiere non è una parola tronca
miracoloso non è un superlativo assoluto
pensiero non appartiene all'ultraterreno
appare non è un verbo alla terza persona plurale
carica non appartiene al mondo dei maghi
scomparsi non è un participio presente
corrisposto non è un gerundio
tecniche è un plurale femminile

Soluzione:

Ascoltiamo

- Dopo aver svolto le attività indicate nella sezione E, potete continuare a lavorare sull'ascolto utilizzando la scheda numero 2 a pagina 135. Il compito consiste nel completare le frasi con un massimo di quattro parole. A tale scopo riproponete l'ascolto del testo, sia per svolgere l'attività che per la sua verifica.

  Al termine, procedete con il riscontro in plenum.

Soluzione: 1. per spillare grandi quantità, 2. ai maghi, ai cartomanti, 3. questa esigenza di magia, 4. cercano padri e dèi, 5. in questo meccanismo compulsivo, 6. alla paura della solitudine, 7. distrarsi con altre cose, 8. rappresenta l'estremo cambiamento

La produzione orale

- Dopo che gli studenti avranno svolto le attività della sezione H, potete provare a sdrammatizzare i contenuti finora trattati cercando di cogliere gli aspetti ironici e positivi delle figure di "maghi e stregoni". Chiedete agli studenti di scegliere tre poteri paranormali che vorrebbero avere, quindi invitateli a riferire al resto della classe quali sono e a quale scopo li utilizzerebbero.

La riflessione personale

- Alla fine dell'unità, potete facilitare il trasferimento dal generico alla sfera personale di quanto discusso e analizzato svolgendo la seguente attività: fotocopiate la scheda numero 3 a pagina 136 e consegnatene una copia ad ogni studente.

  Il compito consiste nel compilare la scheda tenendo presente il proprio atteggiamento rispetto a quanto indicato. Al termine, invitate gli studenti a riferire i contenuti principali della loro riflessione dando luogo ad una discussione in plenum.

CHIAVI UNITÀ 27

A3 2, 3, 5, 8, 9

B1 1. ben disposta, 2. non ricambiato, 3. di una certa età, 4. nei paraggi, 5. vanno a caccia

2 a meno che non sia un bambino; vi dirà di aver individuato/che ha individuato; il cui pensiero voi captiate; che accanto le vedete l'ombra/ che accanto ha l'ombra

C1 1. di modo 2. di quantità, 3. di quantità, 4. di tempo

D1 *Possibili soluzioni*: attivo, attivare; certamente, certezza; collaboratore, collaborazione; verifica; esperienza; cacciatore, caccia; sofferenza, sofferente; magia, magico

2 apparire/sparire, pretendere/esigere, infelice/lieto, redditizio/proficuo, convincere/dissuadere, dote/pregio, aiuto/soccorso, defunto/vivo, verificare/accertare

E1 1. d, 2. e, 3. b, 4. a, 5. c

2 1. b, 2. c, 3. a, 4. a

3 1. b, 2. a

F provi a fare questo esperimento; avvicini una persona; la guardi negli occhi e le dica.

G 1. *in*, 2. mi, 3. a, 5. farmi, 6. degli, 7. da, 8. approvava, 11. dal, 12. chiesta, 13. sarei tornata, 14. fatta, 15. di

I tirare un bidone, vendere fumo, farsi fregare, abboccare all'amo, cadere nella rete, a occhi chiusi, l'ora della verità, al fresco, le bugie hanno le gambe corte.

Scheda numero 1
Unità 27 – Sezione A – B – C – D

situazione	bambino	anziana	persona	....
captate	verificare	collaborare	vedere	....
corrisposto	fortunati	ricambiato	soggetto	....
fantasmi	ombra	persona	anima	....
credulità	mestiere	attività	qualità	....
facilissimo	miracoloso	assai carismatici	carissimo	....
morti	defunti	pensiero	aldilà	....
smontano	appare	spiegano	mostrano	....
trucchi	maghi	tarocchi	carica	....
scomparsi	piangenti	viventi	veggenti	....
pensando	soffrendo	corrisposto	rendendo	....
messaggi	tecniche	personaggi	paraggi	....

Scheda numero 2
Unità 27 – Sezione E

1. Questa volta parliamo di sètte, di maghi, e di tutti coloro che attirano in qualche modo con promesse – naturalmente poi .... di soldi – con promesse di felicità.

2. Dottore, le persone che si rivolgono ...., o che entrano a far parte di determinate sètte, sono persone particolarmente fragili, come stavamo dicendo?

3. Spesso in questa società, piena di sicurezze, diciamo "insicure", ... si esprime sempre di più.

4. In questa società, come si dice da tempo, senza padre, si .... un po' dappertutto.

5. Quindi, questa situazione anche di mondo virtuale, di computer, di mass media, è molto facile, no, entrare ...., no?

6. Io penso che è legata un po' ...., secondo me.

7. Molte persone hanno bisogno appunto di .... e allora il mago aiuta.

8. In questa società che cambia velocemente si ha molta paura del cambiamento. perché in realtà ...., cioè la paura di morire, no?

Scheda numero 3
La riflessione personale

Cosa penso dei fenomeni paranormali:

....

....

Credo/non credo ai maghi:

....

....

Credo/non credo agli ufo perché…:

....

....

Mi sono rivolto/non mi sono rivolto ad un mago perché…:

....

....

Conoscere il futuro sarebbe una cosa positiva/negativa perché…:

....

....

Il destino secondo me può/non può essere modificato perché:

....

....

Se un mio amico andasse da un mago io penserei che:

....

....

Se fossi un mago:

....

....

Sarebbe bello se i maghi potessero:

....

....

Lavoriamo sul lessico

- Dopo aver svolto le attività indicate nelle sezioni A, B, e C, potete dedicarvi al contenuto della scheda numero 1 a pagina 139. Fotocopiate la scheda e consegnatene una copia ad ogni coppia di studenti. Il compito consiste nell'individuare la definizione errata per ognuna delle parole contenuta nelle diverse caselle. Se volete, potete utilizzare l'attività come gioco da svolgere in plenum. Dividete la classe in due gruppi. Scrivete la parola in neretto alla lavagna quindi leggete a voce alta una definizione alla volta rivolgendovi ad un gruppo. Ad ogni definizione, il gruppo dovrà dirvi se quanto affermate è vero o falso. Otterrà un punto se individuerà la definizione errata. Se ciò non avviene, sarete voi ad indicarla, spiegando i motivi per cui non è giusta. Passate alla parola successiva rivolgendovi al gruppo avversario e continuate così fino a che tutte le parole, oppure solamente quelle che voi reputate più interessanti, saranno state prese in considerazione.

Soluzione:

è una parola derivata / no, è una parola composta
il suo infinito è *approdarre* / no, è *approdare*
è un gerundio / no, è un participio presente
il plurale termina sempre in *-i* / no, termina in *-i* il maschile e in *-e* il femminile
è una parola composta da *s-fondo* / non è vero
è maschile plurale / no, è femminile plurale
il plurale è *monologi* / no, è *monologhi*
è una parola composta / no, in latino lo era
è sinonimo di *stipendio* / non è vero
è un termine che si usa anche in medicina / non è vero
è il premio che si consegna al festival del cinema di Cannes / no, si consegna a Hollywood
deriva dal verbo *prendere* / no, deriva da *riprendere*

La grammatica in pillole

- La questione grammaticale su cui si intende riflettere nella sezione D1 riguarda i verbi che come ausiliare possono prendere sia *essere* che *avere*.

Dopo aver svolto le attività indicate, potete approfondire la questione disegnando la seguente tabella alla lavagna:

verbi intransitivi che esprimono fenomeni metereologici
verbi intransitivi che indicano un movimento senza destinazione finale
verbi usati transitivamente e intransitivamente
alcuni verbi che mutano di significato

- Scrivete poi alla rinfusa i seguenti verbi:

convenire	*procedere*	*correre*
piovere	*tuonare*	*cambiare*
volare	*iniziare*	*progredire*
crescere	*albeggiare*	*servire*

- Fatevi indicare in quali caselle possono essere inseriti i verbi alla lavagna, tutti appartenenti alla categoria di quelli che possono essere coniugati sia con ausiliare *essere* che *avere*, quindi consultate l'Appendice grammaticale a pagina 113 e 114 del Quaderno degli esercizi per il riscontro.

- La questione grammaticale su cui si intende riflettere alla sezione D2 è relativa ad alcuni tipi di avverbi e locuzioni avverbiali, alcuni dei quali sono stati già trattati nell'unità precedente. Dopo aver svolto l'attività indicata, potete completare l'argomento consultando l'Appendice grammaticale presente nel Quaderno degli esercizi a pagina 112.

Ascoltiamo

- Dopo aver svolto le attività indicate nella sezione E, potete continuare a lavorare sull'ascolto utilizzando la scheda numero 2 a pagina 140 contenente alcuni brani tratti dall'ascolto e la definizione delle figure retoriche usate in quelle frasi. Il compito degli studenti, a cui avrete consegnato una copia della scheda, consiste nel riscrivere le frasi

di Benigni riportate sotto la tabella, in corrispondenza della figura retorica adeguata. Tale attività potrà essere svolta anche in coppia. In ogni modo, al termine procedete con il riscontro in plenum.
Soluzione:

Allegoria: espressioni o discorsi o narrazioni dietro il cui senso letterale si nasconde un significato più profondo
E allora va con un cielo stellato luminosissimo sopra di sé
Amplificazione: ripetizione di parole o concetti allo scopo di ampliarli
una persona più pulita, più onesta, più brava, più capace
Anacoluto: mutamento improvviso del filo logico-sintattico di una frase.
Diceva questo qua... ha scritto tante cose che ci ha insegnato come si fa a campare
Metafora: possibilità che hanno le parole di subire scarti o trasferimenti di significato.
l'abbiamo in prestito questo mondo dai nostri figli
Metonimia: spostamento di significato di diverso tipo, tra cui quello del nome concreto per quello astratto
allora uno è a posto
Epiteto: aggettivo o sostantivo o locuzione che determina un nome.
il grande filosofo tedesco Emmanuel Kant

La produzione orale

- Dopo che gli studenti avranno svolto le attività della sezione F, potete invitarli a fingersi professionisti del cinema. Dividete la classe in gruppi e invitateli a redigere e discutere un progetto per la realizzazione di un film memorabile che sarà a lungo campione di incassi. Si tratta di decidere il soggetto, scegliere attori e regista, luoghi delle riprese, budget e infine di realizzare la "locandina" che farà il giro del mondo. A questo punto si è pronti per presentare il proprio lavoro alla classe. Chi vincerà il maggior numero di Oscar secondo voi?

La riflessione personale

- Alla fine dell'unità, potete facilitare il trasferimento dal generico alla sfera personale di quanto

discusso e analizzato svolgendo la seguente attività: fotocopiate la scheda numero 3 a pagina 141 e consegnatene una copia ad ogni studente.
Il compito consiste nel compilare la scheda tenendo presente il proprio atteggiamento rispetto a quanto indicato. Al termine, invitate gli studenti a riferire i contenuti principali della loro riflessione dando luogo ad una discussione in plenum.

CHIAVI UNITÀ 28

Per cominciare...

1 *dall'alto al basso e da sinistra verso destra*: Totò, Federico Fellini, Sofia Loren, Nanni Moretti, Marcello Mastroianni, Roberto Benigni, Alberto Sordi, Monica Bellucci

A1 1. A, 2. B, 3. A, 4. B, 5. B, 6. A, 7. A, 8. A, 9. B, 10. B

B 1. tratta dei, 2. sin dai, 3. a tutti gli effetti, 4. oltre che, 5. al fianco di, 6. mettersi in mostra, 7. in assoluto, 8. da sempre

C1 secondario/importante, approdare/arrivare, controverso/indiscutibile, toccante/commovente, popolare/sconosciuto, indimenticabile/memorabile, banale/originale, stupire/sorprendere, concedere/negare, ottenere/conseguire

  2 1. attori, comparse; 2. premi, regia; 3. sale, incassi; 4. danno, visione

D1 finire, salire, passare

E1 1. che lo circonda, 2. ci ha colpito poetica, 3. stellato stia sopra di, 4. eredità dai nostri padri, 5. sopra di sé, 6. come se lo dessi

G 1. a, 2. c, 3. d, 4. d, 5. d, 6. c, 7. c, 8. a, 9. c, 10. d, 11. a, 12. a

Scheda numero 1
Unità 28 – Sezione C

lungometraggio

- è un sostantivo
- è una parola derivata
- è maschile
- è sinonimo di film
- è singolare

approdato

- è sinonimo di *arrivato*
- è un participio passato
- il suo infinito è *approdarre*
- è maschile
- deriva dalla parola *proda*

toccante

- è un gerundio
- svolge la funzione di aggettivo
- è sinonimo di *commovente*
- rimane invariato al maschile e femminile
- è singolare

protagonista

- rimane invariato al maschile e femminile
- il plurale termina sempre in -*i*
- è un sostantivo
- significa *personaggio principale*
- può essere usato come aggettivo

sfondo

- è presente in una pittura
- si usa a teatro
- è un sostantivo
- è una parola composta da *s – fondo*
- può essere anche in un'opera letteraria

apparizioni

- è maschile plurale
- deriva dal verbo *apparire*
- può indicare un evento miracoloso
- è sinonimo di *comparsa*
- ha a che fare con i fantasmi

monologo

- può essere interiore
- si fa a teatro
- è sinonimo di soliloquio
- il plurale è *monologi*
- deriva dal greco

controverso

- significa difficile da interpretare
- è un aggettivo
- deriva dal latino *controversus –volto contro*
- è maschile
- è una parola composta

incassi

- possono essere *giornalieri* e *mensili*
- può essere un verbo
- si fanno al cinema
- deriva da *incassare*
- è sinonimo di *stipendio*

consacrazione

- indica un rito religioso
- la si può fare per un imperatore
- può significare *riconoscimento ufficiale*
- è un termine che si usa anche in medicina
- è femminile singolare

statuetta

- indica una scultura a tutto rilievo
- è il premio che si consegna al festival del cinema di Cannes
- nel mondo del cinema si chiama *Oscar*
- è un vezzeggiativo
- se è un Oscar, è dorata

riprese

- è un sostantivo
- può essere un passato remoto
- deriva dal verbo *prendere*
- al cinema significa *registrazione di immagini*
- nello sport significa una parte di una competizione che ha delle pause

Scheda numero 2
Unità 28 – Sezione E

Allegoria: espressioni o discorsi o narrazioni dietro il cui senso letterale si nasconde un significato più profondo	....
Amplificazione: ripetizione di parole o concetti allo scopo di ampliarli	....
Anacoluto: mutamento improvviso del filo logico-sintattico di una frase.	....
Metafora: possibilità che hanno le parole di subire scarti o trasferimenti di significato.	....
Metonimia: spostamento di significato di diverso tipo, tra cui quello del nome concreto per quello astratto	....
Epiteto: aggettivo o sostantivo o locuzione che determina un nome.	....

...allora uno è a posto...

...Diceva questo qua... ha scritto tante cose che ci ha insegnato come si fa a campare...

...l'abbiamo in prestito questo mondo dai nostri figli...

E allora va con un cielo stellato luminosissimo sopra di sé...

...il grande filosofo tedesco Emmanuel Kant...

...una persona più pulita, più onesta, più brava, più capace...

Scheda numero 3
La riflessione personale

Mi piace/non mi piace andare al cinema perché…:

....

....

Mi piace/non mi piace guardare i film in TV perché…:

....

....

L'ultima volta che sono andato/a al cinema ho visto:

....

....

Il genere di film che preferisco e perché:

....

....

I miei attori preferiti:

....

....

Considero .... un grande regista perché:

....

....

È un film che potrei rivedere / ho rivisto molte volte perché:

....

....

Se lavorassi nel mondo del cinema, vorrei essere:

....

....

Se potessi girare un film, racconterei…:

....

....

Ascoltiamo

- Dopo aver svolto le attività indicate nella sezione A, potete continuare a lavorare sull'ascolto utilizzando la scheda numero 1 a pagina 144. Fotocopiate la scheda e consegnatene una copia ad ogni studente o ad ogni coppia di studenti. Il compito consiste nel completare la tabella con le informazioni richieste. A tale scopo è consigliabile ascoltare nuovamente il brano. Al termine, procedete con il riscontro in plenum.

Soluzione:

Impero, repubblica
Marco Vipsanio Agrippa, Nerone, Tito, Domiziano, Commodo, Caracalla, Diocleziano, Costantino
11 bagni pubblici, più di 830 terme private
giardini, passeggiate, stadi, saloni di lettura, palestre, locali per il masssaggio, biblioteche, negozi
cultura fisica, curiosità intellettuale
calidarium, tepidarium, frigidarium
balnae
nel pomeriggio, prima di cena

La grammatica in pillole

- La questione grammaticale su cui si intende riflettere nella sezione D riguarda i diversi usi del gerundio. Dopo aver svolto l'attività indicata potete approfondire l'argomento disegnando la seguente tabella alla lavagna:

modale
strumentale
temporale
causale

concessiva

- Aggiungete quindi le seguenti frasi, scrivendole alla rinfusa:

Studiava ascoltando
Conoscendo la persona, ho evitato di incontrarla
Correndo è arrivato puntuale all'appuntamento
Sbagliando s'impara
Pur essendo milanese, Fabio tifa per la Roma

- Fatevi indicare in quali caselle devono essere inserite le frasi, ovvero qual è la funzione svolta dal gerundio in esse contenuto, quindi per il riscontro consultate l'Appendice grammaticale alle pagine 121 e 122 del Quaderno degli esercizi.

- La questione grammaticale su cui si intende riflettere nella sezione G è relativa all'uso del passato remoto e alla formazione del trapassato remoto. Dopo aver moderato la discussione richiesta, relativa all'uso del passato prossimo e del passato remoto, potete consultare l'Appendice grammaticale presente nel Quaderno degli esercizi a pagina 114.

Lavoriamo sul lessico

- Dopo aver svolto le attività indicate nella sezione E, potete dedicarvi al contenuto della scheda numero 2 a pagina 145. Fotocopiate la scheda e consegnatene una copia ad ogni coppia di studenti. Il compito consiste nell'associare le illustrazioni relative al testo di pagina 164 alle parole e alle azioni sottostanti. Se volete, potete trasformare l'attività in una gara a tempo. Al termine, procedete con il riscontro in plenum.

Soluzione:
a. 3 - gladiatori, b. 5 - il Foro, c. 1 - fidanzamento, d. 4 - graffiti, e. 2 - matrimonio, f. 6 - suonare

La produzione orale

- Dopo che gli studenti avranno svolto le attività della sezione F, potete dividere la classe in due grandi gruppi per dar luogo ad una discussione su pro e contro dell'Antica Roma. Un gruppo si occuperà di individuare quali sono stati gli aspetti positivi di questa grande civiltà e l'altro invece ne elencherà gli aspetti negativi. Date agli studenti un po' di tempo per prepararsi, quindi moderate la discussione tra "sostenitori" e "detrattori" degli antichi romani.

La riflessione personale

- Alla fine dell'unità, potete facilitare il trasferimento dal generico alla sfera personale di quanto discusso e analizzato svolgendo la seguente attività: fotocopiate la scheda numero 3 a pagina 146 e consegnatene una copia ad ogni studente.

Il compito consiste nel compilare la scheda tenendo presente il proprio atteggiamento rispetto a quanto indicato. Al termine invitate gli studenti a riferire i contenuti principali della loro riflessione dando luogo ad una discussione in plenum.

CHIAVI UNITÀ 29

Per cominciare…

1 a. il Pantheon, b. i mosaici di Pompei, c. Romolo e Remo, d. la statua di Augusto, e. l'arco di Costantino, f. le terme di Caracalla

A2 1, 4, 5, 6, 7

C 1. i, 2. e, 3. c, 4. d, 5. g, 6. f, 7. a, 8. b

D *Esempio*: dato che il divorzio era divenuto, siccome il Senato aveva proposto.

E1 divorzio, ereditiera, caccia, testimoni, riunioni, cure

  2 *sinonimi*: affezionato/legato, infuriato/irritato, violento/aggressivo

  contrari: abrogare/approvare, civile/religioso, nobile/popolano

  3 1. a priori, 2. ad hoc, 3. pro capite, 4. curriculum vitae, 5. in extremis, 6. alter ego

H2 1. quanto, 2. che, 3. in, 4. quali, 5. niente, 6. alcuni/certi, 7. come, 8. sempre, 9. in, 10. ma/invece, 11. a, 12. di, 13. nei, 14. loro, 15. come, 16. a, 17. ma, 18. quel, 19. di, 20. sua, 21. con 22. tra, 23. questo, 24. quali

Scheda numero 1
Unità 29 – Sezione A

Forme di governo nella Roma antica:	
Nomi di personaggi celebri:	
Quantità di bagni e terme:	
Il complesso termale comprendeva:	
L'originalità delle terme consiste nell'unione di:	
Locali a temperature differenti presenti all'interno delle terme:	
Locali riservati alle donne:	
Orario in cui si frequentavano normalmente le terme:	

Scheda numero 2
Unità 29 – Sezione B

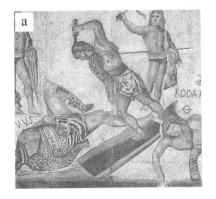

suonare – matrimonio – il Foro – gladiatori – graffiti – fidanzamento

1. ...due mani che si stringevano

2. ...la futura sposa portava sul capo un velo arancione

3. Durante l'Impero donne di nobili famiglie lottarono come gladiatori nell'arena

4. ...dipingevano frasi di incitamento sui muri delle case.

5. Una matrona infuriata tenne nel Foro un discorso violento

6. ...imparava anche a cantare, a danzare e a suonare alcuni strumenti

Scheda numero 3
La riflessione personale

Conosco i seguenti monumenti dell'antica Roma:

....

....

Conosco i seguenti personaggi della storia romana:

....

....

Conosco i seguenti eventi della storia romana:

....

....

Mi piace/non mi piace la storia di Roma perché…:

....

....

Mi interessano/non mi interessano le grandi civiltà del passato perché…:

....

....

Un giorno a Roma in età imperiale secondo la mia immaginazione…:

....

....

Se fossi stato un imperatore romano:

....

....

Se l'Impero romano non fosse crollato, oggi…:

....

....

A cosa associo la storia di Roma:

....

....

La grammatica in pillole

- La questione grammaticale su cui si intende riflettere nella sezione C1 riguarda le parole alterate. Dopo aver svolto l'attività indicata, potete approfondire l'argomento scrivendo alla lavagna i seguenti sostantivi alla rinfusa:

borsettina	*tavolinetto*
fiorellino	*bacetto*
barcone	*ferraglia*
fuocherello	*libricino*
topolino	*donnone*

- Per ogni parola potete chiedere agli studenti di indicare il sostantivo da cui deriva, il suo significato rispetto ad esso e le trasformazioni che il sostantivo subisce nel momento in cui viene aggiunto il suffisso dell'alterazione. Al termine della riflessione, come riscontro, potete consultare l'Appendice grammaticale a pagina 103-104 del Quaderno degli esercizi per il riscontro.

- La questione grammaticale su cui si intende riflettere nella sezione C2 riguarda i nomi invariabili al plurale. Dopo aver svolto l'attività, potete ampliare l'argomento consultando l'Appendice grammaticale presente nel Quaderno degli esercizi a pagina 103.

Lavoriamo sul lessico

- Dopo aver svolto le attività indicate nella sezione D, potete dedicarvi al contenuto della scheda numero 1 a pagina 149. Fotocopiate la scheda e consegnatene una copia ad ogni coppia di studenti. Il compito consiste nell'individuare le parole di cui è data la definizione nella colonna a sinistra della tabella, tutte tratte dal testo a pagina 169 e inserirle nelle caselle accanto ad ogni definizione. Il numero delle caselle corrisponde al numero delle lettere da cui è formata ogni parola. Al termine, nella colonna accanto a quella delle definizioni, e-videnziata in neretto, potrà leggersi in verticale una parola misteriosa...... Quale? Lasciate agli studenti un po' di tempo per svolgere il compito, quindi procedete con il riscontro in plenum. Se volete, potete trasformare l'attività in una gara a tempo.
Soluzione: palcoscenico, uncino, largo, celebre, identità, Napoli, ebbero, livello, lo, Arlecchino
parola da ricostruire: Pulcinella

Ascoltiamo

- Dopo aver svolto le attività indicate nella sezione E, potete continuare a lavorare sull'ascolto utilizzando la scheda numero 2 a pagina 150. Fotocopiate la scheda e consegnatene una copia ad ogni studente o ad ogni coppia di studenti. Il compito consiste nel ricostruire una parte del dialogo teatrale riordinando le battute secondo la sequenza in cui compaiono nel testo che farete ascoltare ancora una o due volte. Al termine, procedete con il riscontro in plenum.
Soluzione: 1, 3, 8, 5, 2, 9, 4, 7, 11, 10

La produzione orale

- Dopo che gli studenti avranno svolto le attività della sezione F, potete invitarli a fingersi "teatranti" professionisti. Dividete la classe in gruppi e chiedete di redigere e discutere un progetto per la realizzazione di una pièce teatrale, magari ambientata a Napoli. Come per il film all'unità 28, anche in questo caso si tratta di decidere il soggetto, scegliere attori e regista, realizzare la "locandina" e se possibile... qualche battuta da recitare ai compagni! Buon divertimento!

La riflessione personale

- Alla fine dell'unità, potete facilitare il trasferimento dal generico alla sfera personale di quanto discusso e analizzato svolgendo la seguente attività: fotocopiate la scheda numero 3 a pagina 151 e consegnatene una copia ad ogni studente.
  Il compito consiste nel compilare la scheda tenendo presente il proprio atteggiamento rispetto a quanto indicato. Al termine invitate gli studenti a riferire i contenuti principali della loro riflessione dando luogo ad una discussione in plenum.

CHIAVI UNITÀ 30

A 1. a, 2. b, 3. b, 4. a, 5. c
B1 1. generalità, 2. nel tempo, 3. che fa le corna, 4. l'apprezzamento unanime, 5. se ne frega
2 1. a, 2. b, 3. b, 4. b, 5. a, 6. a
C1 1. un gatto grande, 2. un gatto piccolo, 3. un gatto brutto e cattivo
2 auto, virtù, specie, crisi
D 1. palcoscenico, sipario; 2. attore, protagonista; 3. spettacolo, atti; 4. interpreta, ha debuttato
E2 *Risposte suggerite*: 1. Perché Bertolini abita nella

casa in cui abitava don Ferdinando prima della morte del padre e quindi il padre sarebbe apparso nella stanza in cui dormiva Bertolini credendo che fosse il figlio, 2. Perché il padre si sarebbe rivolto alla persona chiamandola "piccirì", cioè il nomignolo con il quale aveva sempre chiamato suo figlio, 3. Perché il prete è un conoscitore di anime, 4. Perché è don Ferdinando a spendere soldi per andare al cimitero, per portare fiori sulla tomba del padre e fargli dire spesso delle messe

G1 1. mi hanno messo una pulce nell'orecchio, 2. mettere su, 3. metto in dubbio, 4. ha messo in croce, 5. si è messo in testa

2 1. sempre, 2. suo, 3. gioca, 4. proprio, 5. di, 6. perché, 7. padre, 8. casa, 9. ancora, 10. nel, 11. ma, 12. scheda, 13. figlia, 14. per, 15. continue

Scheda numero 1
Unità 30 – Sezione D

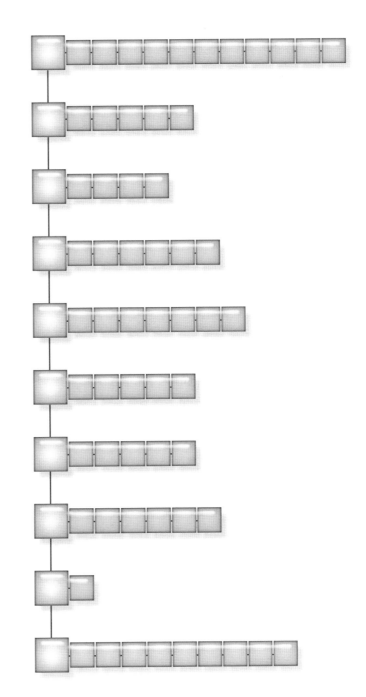

1. Lo calpestano gli attori

2. Un naso rivolto verso il basso
   può dirsi a...

3. Sinonimo di *ampio*

4. Sinonimo di *famoso*

5. La carta su cui sono scritti i dati
   anagrafici di una persona è d'...

6. La città del Vesuvio

7. Terza persona plurale del
   passato remoto di *avere*

8. Valore qualitativo

9. Pronome diretto atono maschile
   singolare

10. La maschera più colorata

Scheda numero 2
Unità 30 – Sezione E

1 | Scusate, Vostro padre, buon'anima, è apparso in sogno a Bertolini e gli ha dato i quattro numeri. Dunque, rispettate la volontà del morto, che in fondo ha voluto dare agiatezza anche a Vostra figlia, poiché pare che i due giovani si amino!

☐ Sì!

☐ No, voglio dire... voi siete un uomo... pregate sempre, anime sante, cose...?   No, siete conoscitore, voglio dire...

☐ Della partita? Che significa, don Ferdinando?

☐ Che cosa? Che cosa, che "si amino"...?! Niente affatto! E scusate! Ma come, siete Voi che mi dite "rispettate la volontà del morto", un uomo di chiesa, come Voi, come? Rispettate... Ah, questa è la volontà del morto? Don Raffae', scusate, ma come!? Eh? La buon'anima, eh? La buon'anima, l'avete detto Voi, non l'ho detto io.

☐ Il prete!

☐ La buon'anima è apparsa in sogno a Bertolini e gli ha dato i numeri sicuri che sono venuti! Uè, nu-meri difficili, una quaterna proprio precisa: 1, 2, 3 e 4, proprio uno che vuole arricchire a un altro. Dal momento che ci troviamo a parlare di anime, Voi... con Voi se ne può parlare seriamente, perché Voi siete diciamo della partita...

☐ Conoscitore? Don Ferdina', ma io faccio il prete, non faccio 'u canteriere.

☐ Sì, sì, posso dare una spiegazione, giusto.

☐ E dunque Voi... mi potete dare una spiegazione, io sono ignorante, ecco!

Scheda numero 3
La riflessione personale

Mi piace/non mi piace andare a teatro perché...:

....

....

Mi piace/non mi piace leggere pezzi teatrali perché...:

....

....

L'ultima volta che sono andato/a a teatro ho visto...:

....

....

Il genere di pezzi teatrali che preferisco sono:

....

....

Da quello che so/ho imparato il teatro napoletano secondo me è:

....

....

Le maschere teatrali come Arlecchino, Pulcinella eccetera, che conosco e che più mi piacciono sono:

....

....

Un pezzo teatrale che mi piacerebbe vedere:

....

....

Lavoriamo sul lessico

- Dopo aver svolto le attività indicate nella sezione D potete dedicarvi al contenuto della scheda numero 1 a pagina 154. Fotocopiate la scheda e consegnatene una copia ad ogni studente. Il compito consiste nell'individuare i 12 errori contenuti nelle frasi, tratte dal testo a pagina 176. Lasciate agli studenti un po' di tempo, quindi procedete con il riscontro che questa volta potrà essere effettuato anche individualmente, confrontando il proprio elaborato con il testo in questione.

Soluzione: scielte/scelte; garegiare/gareggiare; piu/più, anno/hanno, al/all', moltudine/moltitudine; bandere/ bandiere; qui/cui; contradaiollo/contradaiolo; inpiegate/impiegate; nomalie/anomalie; antopologico/antropologico

La grammatica in pillole

- La questione grammaticale su cui si intende riflettere nella sezione E1, riguarda il *che* polivalente. Dopo aver svolto l'attività indicata, potete approfondire l'argomento scrivendo alla lavagna quanto segue:

Che lavoro facevi in America?	*pronome esclamativo*
Che noia! →	*aggettivo interrogativo*
Che hai visto di bello?	*pronome interrogativo*
Che dici!	*congiunzione*
C'è un che di antipatico in quell'uomo	*secondo termine di paragone*
Una città che mi piace molto è Barcellona	*pronome relativo*
È necessario che tu lo faccia	*aggettivo esclamativo*
Piero è più avaro che generoso	*pronome indefinito*

- Chiedete agli studenti di collegare le frasi contenute nella colonna di sinistra alla lista di funzioni del *che* presenti in quella di destra come indicato nell'esempio, quindi per il riscontro consultate l'Appendice grammaticale a pagina 112 del Quaderno degli esercizi.

- La questione grammaticale su cui si intende riflettere nella sezione E2 riguarda i nomi collettivi. Dopo aver svolto l'attività indicata, potete ampliare l'argomento consultando l'Appendice grammaticale pre-

sente nel Quaderno degli Esercizi a pagina 102.

Ascoltiamo

- Dopo aver svolto le attività indicate nella sezione F, potete continuare a lavorare sull'ascolto utilizzando la scheda numero 2 a pagina 155. Fotocopiate la scheda, ritagliate lungo la linea tratteggiata e consegnate ad ogni studente una copia della prima parte, contenente sei domande aperte a cui gli studenti dovranno rispondere utilizzando per ognuna dalle 15 alle 25 parole. A tale scopo sarebbe opportuno far riascoltare il brano e lasciare agli studenti almeno dieci minuti a disposizione per svolgere il compito. Al termine, procedete con il riscontro in plenum, ascoltando alcune risposte per ogni domanda e consegnando agli studenti la trascrizione del testo, contenuta della seconda metà della scheda affinché sia possibile giudicare il proprio elaborato anche individualmente.

La produzione orale

- Dopo che gli studenti avranno svolto le attività della sezione G, potete invitarli a fingersi "contradaioli" agguerriti. Dividete la classe in gruppi e chiedete ad ognuno di riflettere ed elencare tutto ciò che in veste di contradaioli si potrebbe escogitare per vincere il Palio ad ogni costo. Naturalmente sarà possibile pensare ad azione corrette ma anche a quelle "meno corrette" cui si ricorre talvolta in quel di Siena! Al termine della riflessione/discussione lasciate che ogni gruppo riferisca i suoi "trucchi" e provate a giudicare chi ha più probabilità di vincere il prossimo Palio!

La riflessione personale

- Alla fine dell'unità, potete facilitare il trasferimento dal generico alla sfera personale di quanto discusso e analizzato svolgendo la seguente attività: fotocopiate la scheda numero 3 a pagina 156 e consegnatene una copia ad ogni studente.
Il compito consiste nel compilare la scheda tenendo presente il proprio atteggiamento rispetto a quanto indicato. Al termine, invitate gli studenti a riferire i contenuti principali della loro riflessione dando luogo ad una discussione in plenum.

CHIAVI UNITÀ 31

Per cominciare…

1 *da sinistra verso destra e dall'alto al basso*: e, f, d, a, b, c

A2 1. g, 2. f, 3. h, 4. a, 5. b, 6. i, 7. d, 8. l, 9. c, 10. e

B1 a. Il 2 luglio e il 16 agosto in Piazza del Campo; b. Non più di 90 secondi; c. Un tessuto di seta dipinto

2 1. b, 2. c, 3. a, 4. b, 5. b

C 1. d, 2. e, 3. h, 4. m, 5. c, 6. i, 7. a, 8. b

D1 celebre/rinomato, esultare/ gioire, fastoso/ricco, ceto/classe, simulato/finto, sorteggio/estrazione

2 1. preso il ladro con le mani nel sacco, 2. prendere il toro per le corna, 3. ha preso una cotta per, 4. prendere le distanze, 5. preso sul serio

F1 1. senso autentico del; 2. arti, le corporazioni; 3. monumenti all'aria aperta; 4. quello che mi dà; 5. rimangono in tutti noi; 6. viene portata la terra

Scheda numero 1
Unità 31 – Sezione D

- Vi prendono parte dieci delle diciassette contrade cittadine scielte con il seguente meccanismo:

....

- Hanno diritto a garegiare le sette escluse la volta precedente piu altre tre estratte a sorteggio.

....

- La sera della vigilia le contrade che anno acquisito il diritto a correre organizzano beneauguranti e rumorose cene al aperto

....

- Al fastoso corteo storico che precede la gara partecipa una moltudine di figuranti (circa seicento)

....

- Che sfilano fra i rulli dei tamburi gli squilli delle trombette e il volteggiare delle bandere.

....

- Chi vince porta in contrada un "drappellone" dipinto (un tessuto di seta, un palio appunto)

....

- Il qui valore venale è pari a zero, ma per conquistare il quale ciascun contradaiollo si toglie dal porta-fogli cifre talvolta ragguardevoli,

....

- Inpiegate per pagare il proprio fantino e per tentare di corrompere quelle delle altre nove contrade in gara.

....

- Questa è Siena; questi sono i senesi; questo è il Palio.

....

- Tutte e tre le cose messe insieme creano una delle più vistose nomalie che il panorama sociale, anto-pologico, culturale italiano possa offrire

....

Scheda numero 2
Unità 31 – Sezione F

Che cosa è il Palio di Siena?

....

....

Che cosa significa "festa" nel senso antico del termine?

....

....

Qual è la caratteristica di feste come il Palio di Siena?

....

....

Che cosa rappresenta per i senesi la divisione in contrade?

....

....

In che senso il Palio di Siena è conservativo?

....

....

Quali sono i simboli dell'unione tra città e campagna durante il Palio di Siena?

....

....

- Vogliamo provare a spiegare cos'è il Palio?
- Sì, è qualcosa di più di uno spettacolo, è qualcosa di più di una festa, o forse è festa nel senso antico del termine, dove la festa è il giorno più importante dell'anno perché la comunità diventa se stessa, anzi ridiventa se stessa e lo riafferma. Nel caso del Palio questa identità viene riaffermata proprio attraverso la rivalità, la rivalità delle contrade di Siena che si combattono e quindi in quel momento la città, come succedeva nelle città antiche, nelle città comunali e signorili, mette in scena tutte le sue linee di frattura, cioè le rivalità fra le arti e le corporazioni, fra i quartieri, fra i diversi luoghi della città; però le ricompone nello stesso tempo, perché queste feste avevano questa caratteristica: erano competizione ma unità nello stesso tempo, e quindi una specie di teatro in cui la comunità mostra a se stessa chi è, ma in questo caso poi, come nel caso del Palio, lo mostra anche agli altri, perché non è un caso che feste come il Palio di Siena poi sono diventate dei veri e propri monumenti all'aria aperta, dei beni culturali che tutti vengono a vedere come si visita un museo.
- Ecco, una festa, come dice Lei, ma comunque una situazione che i senesi vivono tutto l'anno, non soltanto il giorno della corsa.
- Certo, perché la divisione in contrade a Siena effettivamente è il vero motore della struttura sociale, della struttura della città. Non è semplicemente una sopravvivenza del passato, qualcosa che ormai è diventato folklore, no: l'appartenenza alla contrada significa molto per me, è quello che mi dà la mia identità, mi dà i miei amici di quando son bambino, mi dà le mie relazioni di vicinato. Poi tutto... ovviamente tutto questo oggi viene vissuto anche modernamente e quindi si mescola con tutto il resto; però è qualcosa che rimane, esattamente come rimangono in tutti noi le cose che abbiamo da bambini: quello che ci succede nei primi anni di vita è decisivo.
- Ecco, come nasce il Palio di Siena e com'è cambiato nel tempo, se è cambiato?
- Beh, è cambiato poco nel tempo, direi che è una festa che conserva questa struttura dove tutto avviene proprio come dicevo prima attraverso la competizione, la competizione equestre. In questa che poi è città e nello stesso tempo non è città, perché non è un caso che nel campo, nella piazza del Campo di Siena, la piazza che si chiama "il Campo", viene portata la terra.

Scheda numero 3
La riflessione personale

Mi piacciono/non mi piacciono feste e sagre tradizionali perché:

....

....

La grande passione dei contradaioli senesi è/non è una cosa positiva perché:

....

....

Mi piacerebbe/non mi piacerebbe provare una passione altrettanto forte perché:

....

....

Secondo me, feste e sagre come il Palio oggigiorno servono a/per:

....

....

Altre feste e sagre che conosco in Italia e nel mondo:

....

....

Mi piacerebbe partecipare attivamente al Palio di Siena nel ruolo di…, perché:

....

....

Siena, Firenze, la Toscana tutta sono/non sono molto rappresentative dell'Italia. Forse perché...

....

....

Secondo me, altri aspetti della cultura italiana "estremi" come il Palio sono:

....

....

Lavoriamo sul lessico

- Dopo aver svolto le attività indicate nella sezione D, potete dedicarvi al contenuto della scheda numero 1 a pagina 159. Fotocopiate la scheda e consegnatene una copia ad ogni studente o ad ogni coppia di studenti. Il compito consiste nel riordinare le frasi estratte e riadattate dal testo a pag. 180. Lasciate agli studenti un po' di tempo per svolgere il compito quindi procedete con il riscontro che potrà essere effettuato anche individualmente confrontando il proprio elaborato con il testo in questione.

Soluzione: La lettera anonima era partita da Montelusa. / Il grosso elenco telefonico di Palermo e provincia si sollevò in aria. / Fazio pativa di quello che il commissario chiamava "il complesso dell'anagrafe". / Da quand' è che è maritato? / C'è chi dice una cosa e chi un'altra. / Aspettiamo che l'ammazza e vediamo. / Da quando si trovava a Vigàta non era mai capitato un delitto cosiddetto d'onore. / Un marito al quale arrivano voci di tradimento s'apposta, segue, spia.

La grammatica in pillole

- La questione grammaticale su cui si intende riflettere nella sezione E1 riguarda alcuni prefissi nominali e aggettivali. Dopo aver svolto l'attività indicata, potete approfondire l'argomento scrivendo alla lavagna quanto segue:

parole con prefissi spazio-temporali
parole con prefissi intensivi
parole con prefissi negativi

ultrasensibile   sfiducia   antipasto
asociale   metalinguaggio   sgradevole
infrastruttura   illegittimo   arcinoto
stracarico   incapace   fuoriserie
multietnico senzatetto
noncurante   sovrabbondante
sottopassaggio impossibile

- Chiedete agli studenti di suggerirvi in quale casella inserire le parole scritte sotto la tabella, scegliendo in base alla funzione del loro prefisso. Per il riscontro consultate l'Appendice grammaticale a pagina 106 del Quaderno degli esercizi.

- La questione grammaticale su cui si intende riflettere nella sezione E2 riguarda il passaggio da discorso diretto a discorso indiretto. Dopo aver svolto l'attività indicata, potete ampliare l'argomento consultando l'Appendice grammaticale presente nel Quaderno degli esercizi a pagina 123-124.

Ascoltiamo

- Dopo aver svolto le attività indicate nella sezione F, potete continuare a lavorare sull'ascolto utilizzando la scheda numero 2 a pagina 160. Il compito consiste nel completare le frasi con un massimo di quattro parole. A tale scopo riproponete l'ascolto del testo, sia per svolgere l'attività che per la sua verifica.

Al termine, procedete con il riscontro in plenum.

Soluzione: 1. ma comunque di dialetto, 2. tanto per dirne una, 3. un piccolo accento romanesco, 4. anzi una delle battistrada, 5. sì, sono vernacoli ma, 6. un po' più rude, 7. altro genere di messaggio, 8. la pubblicità a Milano

La produzione orale

- Dopo che gli studenti avranno svolto le attività della sezione G, potete invitarli a prendere in considerazione domande e riflessioni proposte nelle ultime otto righe del brano a pagina 180-181. Dividete la classe in gruppi e chiedete ad ognuno di cercare una risposta ai quesiti (*E poi questo straneo chi può essere? Un killer a pagamento? A Vigàta? .... chi era stato a scrivere la littra? La signora Serena per parare la botta?*) e di immaginare come si svolgerà l'indagine di Montalbano, cosa scoprirà il commissario e come finirà il racconto. Al termine della riflessione/discussione, lasciate che ogni gruppo riferisca la sua "versione dei fatti". Qual è la più avvincente?

La riflessione personale

- Alla fine dell'unità, potete facilitare il trasferimento dal generico alla sfera personale di quanto discusso e analizzato svolgendo la seguente attività: fotocopiate la scheda numero 3 a pagina 161 e consegnatene una copia ad ogni studente.

Il compito consiste nel compilare la scheda tenendo presente il proprio atteggiamento rispetto a quanto indicato. Al termine invitate gli studenti a riferire i contenuti principali della loro riflessione dando luogo ad una discussione in plenum.

CHIAVI UNITÀ 32

A1 1. ordini, 2. nemico, 3. fidanzato/innamorato, 4. distanza, 5). sentimento/amore, 6. è, 7. mai, 8. piuttosto/invece, 9. matrimonio, 10. anni, 11. letteratura, 12. risultato/successo, 13. punto, 14. grande, 15). così/tanto, 16. record, 17. agire, 18. suoi, 19. non, 20. volte

B1 criato/creato, non lo saccio/non lo so, calannario/calendario, nenti/niente, omo/uomo, fimmine/femmine, littra/lettera, straneo/estraneo

3 1, 2, 4, 6, 7, 8

C1 1. a stampatello, 2. addetto a, 3. a morte, 4. figurarsi, 5. in prima persona, 6. il disturbo, 7. a pagamento, 8. altro che

D1 voci/chiacchiere, superiore/inferiore, persuadere/convincere, smacchiare/macchiare, ammazzare/uccidere, indifferente/interessato, pigliare/prendere, antipatico/simpatico

2 pentito, innocente, malavita, attentato, imputato, tribunale

E1 *in-* è un prefisso con valore negativo, quindi la parola *incensurato* significa *non censurato*. Hanno lo stesso valore negativo i prefissi *s-*, *dis-*, *a-* ecc.

2 8: Il commissario ordinò a Fazio di cercare di saperlo e di andare poi a raccontarglielo.
17-18: Fazio gli chiese di scusarlo e di fargli le domande a cui lui avrebbe risposto.
24: Fazio rispose che gli avevano detto che era un uomo tranquillo, di scarsa parola e di poca amicizia.

F2 1. b, 2. b, 3. a, 4. c

3 1. c, 2. c

H in italiano, in ordine dall'alto verso il basso: 1, 5, 8, 2, 3, 4, 6, 7

Scheda numero 1
Unità 31 – Sezione D

lettera da La era Montelusa anonima partita.

....

grosso Il in telefonico provincia di sollevò elenco Palermo si aria e.

....

complesso pativa dell'di che il Fazio anagrafe commissario quello il chiamava.

....

quand' maritato che Da è è?

....

chi cosa C'è dice una e altra chi un'.

....

che vediamo Aspettiamo ammazza l' e.

....

si a Da cosiddetto trovava quando non era un Vigàta mai delitto capitato d'onore.

....

Un al arrivano segue di marito tradimento quale s'apposta, voci, spia

....

Scheda numero 2
Unità 31 – Sezione E

1. Agostino Saccà, direttore di Raifiction ha detto che ci sono troppe fiction "romano-centriche", alludendo al dialetto romano, ... ce n'è abbastanza.

2. C'è anche, non so, il siciliano di Camilleri, ..., e vorremmo cercare di capire con il Suo aiuto...

3. Negli anni Sessanta già la televisione parlava con .... che poi insieme al cinema ha contribuito a fare del romanesco la lingua ufficiale italiana.

4. La Rai non ha fatto eccezione, è stata .... finché non è arrivata la televisione privata che parla in milanese.

5. Non è male, non è male perché non dimentichiamo che anche Camilleri in televisione, o anche *La squadra*, ... il tessuto connettivo è sempre la romanità.

6. È bene che siano cose fatte bene e non delle grandi, come si dice in radio, delle grandi fesserie, ecco, mi stava venendo una parola ....

7. Ormai è una pratica diffusa è anche in ogni ...., io stavo pensando per esempio alla pubblicità.

8. Storicamente, diciamo lo spettacolo nasce a Roma e ...., no?

Scheda numero 3
La riflessione personale

Mi piacciono/non mi piacciono i romanzi polizieschi perché:

....

....

Altri commissari letterari o televisivi che conosco:

....

....

Mi piacerebbe/non mi piacerebbe essere un commissario perché:

....

....

Cosa conosco della Sicilia:

....

....

Sono in grado/non sono in grado di riconoscere i seguenti dialetti/parlate regionali dell'italiano:

....

....

Mi piace/non mi piace che la gente usi il dialetto, perché…:

....

....

Secondo me i dialetti oggi rappresentano:

....

....

Una lingua senza dialetti sarebbe:

....

....

Una frase simpatica o famosa nel mio dialetto e la sua traduzione in lingua standard:

....

....

TRASCRIZIONE DEI BRANI AUDIO

Prima di... cominciare

1 (CD1). 1a. Comprensione e comunicazione

1.
● Come mai non hai pagato con la carta di credito?

2.
○ Una matrimoniale. Può dirmi il prezzo per quattro notti? Se ne avete una libera, cioè.

3.
● È un tipo strano, nel senso che a volte non puoi dirgli niente che s'arrabbia subito.

4.
○ Scusa, ti dispiace se mi fermo un attimo al bancomat?
● No, figurati! Fai pure!

5.
○ No, non ci vada a piedi, Le conviene di più il tram. Dunque, prenda il 12 e scenda alla... seconda, no ... alla terza fermata!

6.
● Mamma, che ne pensi del mio nuovo vestito?
○ Ecco: questo sì che è un vestito elegante!

7.
● Cioè non sono opere originali?
○ Se costano 20 euro, non c'è dubbio: sono delle riproduzioni!

8.
● Dai, accendi il televisore: c'è Miss Italia!
○ Ma chi se ne frega dei concorsi di bellezza?!

UNITÀ 1

2 (CD1). D2

● ...Io forse sono abbastanza indietro, ma con gli sms ci metto un sacco di tempo a scrivere una parola; qui ci sono da scrivere delle formule, delle parole in greco, come si fa?
○ Dunque, ehm... diciamo che... a parte che non è poi così difficile mandare un sms, ci sono diversi tipi di cellulare e i ragazzi lo fanno molto velocemente, abbreviando parole... è sufficiente magari mandare un sms con scritto "Montale", tanto per cominciare. Ad esempio, noi alle 7 e 12 del 16, quindi il giorno della prima prova, avevamo Marlene17 che diceva "ragazzi è uscito Montale, il mio raga mi ha mandato un messaggio, ma non so altro", gli aveva mandato un sms con scritto

"Montale" e successivamente sono arrivate le specifiche. Forse quel ragazzo poi è andato in bagno e ha mandato un sms più dettagliato.

● *Comunque ho capito: sui temi si lavora come le agenzie di stampa quando lanciano le notizie...*
○ Esatto.

● *...prima una parola, poi una frase, poi un periodo un po' più complesso, mano a mano che le notizie arrivano...*
○ Esatto. Sì, poi c'è chi all'esterno svolge la prova e la ripubblica sul forum, quindi noi ci limitiamo in realtà a mettere a disposizione i forum, che sono uno strumento libero, al quale possono accedere tutti, sia coloro che mandano un sms per scrivere che prova è uscita, sia per coloro che poi quella prova la svolgono e la pubblicano per tutti.

● *Ecco... Marta, a questo punto mi chiedo come sia possibile poi accedere al forum mentre si è in classe, perché non c'è una postazione internet sul banco.*
○ Ma al forum infatti non ci accede chi sta all'esame, ma tra virgolette "il complice esterno", quindi colui che per primo riceve l'sms e lo porta sul nostro forum. Il complice esterno è lo stesso che poi torna sul forum per cercare eventualmente la traccia svolta e rimanda indietro l'sms al ragazzo, al compagno che sta in classe, svolgendo la prova.

● *Sì. Naturalmente si parla di temi, si parla di testi comunque piuttosto lunghi e complicati. È possibile rimandare in classe un compito fatto per sms?*
○ Dunque, un tema probabilmente no, nel caso di una versione di greco invece è molto più semplice...

UNITÀ 2

3 (CD1). B2

Receptionist: Buongiorno, Hotel Fenix.
Cliente: Buongiorno. Senta, vorrei chiederle alcune informazioni.
Receptionist: Dica pure.
Cliente: Sì. Dunque, io e mia moglie vorremmo venire a Roma in estate, ma abbiamo un cane. Ho letto su internet che nel vostro albergo accettate animali.
Receptionist: Certo, signore: il nostro hotel è un vero paradiso per animali e padroni: in tutte le camere possiamo sistemare brandine e ciotole senza supplementi per cani di ogni taglia.
Cliente: Ogni taglia, eh? No, perché il nostro è proprio grosso, è un maremmano.
Receptionist: Non c'è problema, signore: ci dica solo di

che dimensioni vuole la brandina per il suo cane e gliela faremo trovare pronta in camera al suo arrivo, insieme a tutto il resto.

Cliente: E tutto questo, mi ha detto, senza supplementi?

Receptionist: Naturalmente. È tutto incluso nel prezzo della camera doppia.

Cliente: Beh, perfetto, direi... E, mi dica, c'è poi possibilità di portare il cane da qualche parte lì vicino, per una passeggiata? Sa, le sue necessità...

Receptionist: Naturalmente: prima di tutto il nostro hotel ha un grande giardino interno dove i clienti possono portare i loro cani; inoltre, a pochi passi dall'hotel, troverà un'area apposita per cani all'interno del parco pubblico di Villa Alberoni Paganini.

Cliente: Addirittura! Davvero comodo! Senta, La posso disturbare ancora con un'ultima domanda?

Receptionist: Si figuri, dica pure.

Cliente: No perché io non conosco bene Roma, e venendoci con il cane... Non so, ci sono altri parchi a Roma dove possiamo portare Neve senza creare problemi? Neve è il nome del cane...

Receptionist: Ah, ah... Sì, l'avevo intuito. Guardi, Roma negli ultimi tempi è diventata sempre più una città "pet friendly": in ogni quartiere c'è un'area verde all'interno della quale i cani possono correre e giocare senza guinzaglio e museruola. Se lo desidera, potremmo darle una mappa specifica in cui sono segnalati tutti questi parchi. Ce ne sono davvero moltissimi, non si deve preoccupare: per esempio, a Villa Borghese in viale del Giardino Zoologico e nella Valle dei Cani; in zona Colosseo e San Giovanni... un po' dappertutto, insomma.

Cliente: E... il vostro hotel si trova in centro?

Receptionist: Sì, certo: siamo precisamente nel quartiere Trieste, a sud dei Parioli, ad appena dieci minuti da Via Veneto. Anche se non conosce Roma, sicuramente conoscerà via Veneto...

Cliente: Certo, certo... Beh, grazie mille, mi è stata davvero molto d'aiuto. Direi che possiamo procedere con la prenotazione!

Receptionist: Benissimo! Mi dica pure i suoi dati e il periodo in cui vorrebbe prenotare...

UNITÀ 3

4 (CD1).   E2

● *Senta, ma è davvero vero che gli italiani sono pronti a indebitarsi per andare in vacanza, pur di andare in*

vacanza?

○ Questo è quanto ci hanno detto gli operatori del credito al consumo; noi abbiamo fatto un sondaggio intervistando circa 50 tra promotori finanziari e responsabili del credito al consumo ed è risultato questo fatto.

● *E di quanto ci si indebita?*

○ Gli importi sono o 1200-1300 euro circa, oppure vanno dai 7000-8000 euro.

● *7000-8000 euro?*

○ Sì. Per fare vacanze però in Australia, Nuova Zelanda...

● *Cioè la domanda è: ma ci si indebita pur di andare in vacanza qualunque essa sia o ci si indebita per fare una vacanza che poi si ricorderà non dico per tutta la vita, ma comunque...*

○ Mah, nei due casi: ci si indebita per fare una bella vacanza, sicuramente, e poi anche per prendersi un po' di giorni in più, per fare delle spese in più, magari per avere l'albergo migliore, il posto migliore, questo sì.

● *Ma è vero anche che non si parla più di debito ma di "modo alternativo di pagamento"?*

○ Sì sì, "modo alternativo di pagamento", sì. Cioè una gestione dei flussi di cassa differente, ecco.

● *Ma è per scaricare la coscienza, tutto questo.*

○ No, è perché c'è un diverso approccio al denaro, cioè il fatto adesso di pagare a rate non è più visto in maniera come un debito, ecco, viene visto come un modo differente per riuscire a gestire i flussi finanziari.

● *Il direttore di una banca mi diceva che ci si indebita non quando non si hanno soldi, ma quando si hanno i soldi.*

○ Sì, infatti il target di chi si indebita sono... sicuramente sono benestanti, sono persone con un reddito alto, anche.

● *Aiutati anche dai bassi tassi d'interesse.*

○ Sì, aiutati anche dai tassi d'interesse, sì.

● *Ci si indebita di più al Nord, al centro, al Sud? Facciamo un po' la mappa geografica della...*

○ Le regioni sono il Lazio, la Lombardia, la Campania, quindi un po' tutta l'Italia, ecco, sono le regioni in cui ci si indebita di più. E quelle in cui invece ci si indebita di meno sono l'Umbria, Molise, Trentino Alto Adige e Valle d'Aosta.

● *E chi si indebita?*

○ Generalmente sono più uomini rispetto alle donne, che pensano ad affrontare questo... ad avere questo pagamento, queste forme rateali di pagamento.

UNITÀ 4

5 (CD1).   C1

● *Noi vogliamo parlare del libro di Michele Mezza che s'intitola* Media senza mediatori.org, *che parla di innovazione tecnologica e di conseguente innovazione proprio nel modo di fare comunicazione. Siamo in una fase di grandi cambiamenti, grandi cambiamenti che portano anche evidentemente a cambiamenti nei media. In che senso?*

○ Ma, insomma... diciamo più generalmente la tesi del libro è che in questa fase sta cambiando radicalmente il *come* fare informazione. E in questa dimensione digitale il come fare contamina, condiziona, determina anche il cosa fare, il contenuto. E questa è una realtà radicalmente nuova con cui fare i conti, fare i conti come consumatori, ma fare i conti anche come produttori di comunicazione.

● *Ecco, dunque è un problema anche di metodi?*

○ Eh sì: di metodi, di culture, di competenze; siamo alla vigilia di continue scosse che modificheranno proprio la strumentazione del comunicatore. E dall'altra parte, anche quello che una volta era l'utente passivo sta entrando in ballo, sta diventando anche lui un produttore, sta condividendo il ruolo e il protagonismo dei produttori, e questo ovviamente porta a degli scossoni e a dei terremoti, rompe abitudini e apre scenari che non sempre sono definibili. L'ultimo episodio riguarda il terribile terremoto che c'è stato nel Kashmir, cioè in una delle zone più desolate e lontane e sguarnite dal punto di vista di comunicazione. Eppure noi abbiamo visto che tutti i circuiti televisivi internazionali, compresi i nostri, hanno potuto documentare in diretta l'evento, un evento che ha devastato città e villaggi, tramite degli streaming video che sono stati immessi in Rete da singole persone che con video-telefonini hanno potuto testimoniare della tragicità e della ferocia dell'evento. Ecco, questo è solo uno dei frammenti di quella sorta di "spettautore", come lo definisce il libro, cioè la figura di uno spettatore che grazie a questi strumenti... strumenti miniaturizzati, piccoli e grazie a una connettività diffusa, è in grado di intervenire in tempo reale nel circuito mediatico.

UNITÀ 5

6 (CD1).   G2

● *Siamo a Milano all'interno della* Libreria dei ragazzi, *di cui il signor Roberto Denti è proprietario, nonché conduttore, giusto?*

○ Sì, non più proprietario, ma comunque sono quello che l'ha fondata, assieme a mia moglie, nel 1972 ed è stata la prima libreria per i ragazzi aperta in Italia, la seconda in Europa. La prima era stata aperta a Londra nel primo dopoguerra.

● *Intanto, dal punto di vista della libreria, Gianni Rodari è un personaggio molto diffuso, diciamo commercial-*

mente, che vende ancora oggi?

○ Vende abbastanza. Quale è stato il suo vantaggio? Che le cose di lui più conosciute sono *Le favole al telefono* e *Le filastrocche in cielo e in terra*, che hanno trovato subito posto nei libri di testo di lettura della scuola elementare. Perché nei libri di lettura della scuola elementare c'è una legge che permette l'uso di autori contemporanei che però il compilatore non deve superare le 40 righe. Ed è difficile trovare qualche storia che è così breve. Rodari invece era bravissimo, perché le sue filastrocche e le sue favole sono molto brevi. Quindi ha trovato posto ed è diventato molto presto molto famoso.

● *I titoli che mi ha citato prima, sono ancora quelli più venduti?*

○ Di quelli di Rodari sono certamente i più venduti, malgrado abbia altre pubblicazioni, ma in genere i due conosciuti sono questi.

● *Gianni Rodari è ancora di fatto il nome della letteratura infantile. Secondo Lei, aveva quello che diciamo è "il suo segreto", una particolarità? Perché lui è così?*

○ Intanto perché considerava i bambini delle persone, degli individui, non dei piccoli cretini che devono diventare dei grandi cretini e allora era veramente un'enorme innovazione questa situazione di rispetto. E poi ha portato nella narrativa degli elementi molto diversi da quelli a cui erano abituati i bambini di allora. Lui ha parlato dei problemi di tutti i giorni, delle cose che capitano, che i bambini possono vedere, ma che gli adulti non gli fanno vedere. Quindi, i suoi argomenti sono sempre stati argomenti di grande attualità, di grande concretezza, e i bambini hanno dimostrato meravigliosamente di accettarlo.

UNITÀ 6

7 (CD1).   F2

Medicina e Salute

Una famiglia veneta dal secolo scorso soffre, tra le poche al mondo, di una forma mortale di deprivazione del sonno. In media c'è una possibilità su 33 milioni che i cromosomi di una persona abbiano questo difetto, ma per i membri della famiglia X – come la chiameremo – le possibilità sono ben una su 4. Non è altrettanto chiara, però, la terapia, che per il momento non esiste: nell'86 ne aveva parlato un articolo sul "Journal of Medicine". Ora è stata fondata un'associazione che si occuperà anche della raccolta dei fondi per la ricerca di questo morbo rarissimo e di quelli per l'assistenza dei prossimi malati.

Ignazio Roiter è il nome del medico che ebbe l'intuizione che dietro la strana serie di morti analoghe ci fosse una spiegazione diversa da quella che i referti avevano fornito. Nell'estate del '73 vede una donna di 49 anni con disturbi apparentemente riconducibili ad ansia e depressione. È ricoverata a Padova e in sei mesi muore in condizioni di dimagrimento incredibili: pesa 30 chili. Nel '78 si ammala la sorella. Ha 53 anni e gli stessi disturbi: a Mestre le dicono che è Alzheimer, ma il dottor Roiter non ci crede. Nel marzo del '79 la paziente muore con la medesima agonia.

Il dottor Roiter comincia allora a fare una ricerca nell'albero genealogico della famiglia, consulta gli archivi parrocchiali sin dall'Ottocento dove si registravano matrimoni, nascite e morti. E individua vari altri decessi sbrigativamente etichettati come causati da pazzia o alcolismo.

Nell'estate dell'83 è la volta del fratello delle due donne. Muore nel luglio dell'84. Nell'86 esce l'articolo sul prestigioso "Journal of Medicine" che racconta la storia della famiglia X. Da Bordeaux si scoprono casi simili, in Germania spuntano quasi 50 famiglie, in Spagna 9 e anche in Giappone. Nel marzo del 2000 muore un altro membro: è un industriale di 47 anni. Stesse modalità. Se accadrà lo stesso agli altri membri della famiglia, nessuno può dirlo. Per ora, l'ultima discendente, una ragazza di 18 anni sana e allegra, è una di coloro che hanno voluto fortemente quest'associazione. Chissà che non riesca lei a sconfiggere il male che da generazioni opprime i suoi parenti.

UNITÀ 7

8 (CD1).   F2

C'è un momento nella vita di una coppia in cui sospiri, sguardi, fiori e tramonti lasciano spazio anche a interrogativi più pragmatici tipo: «Perché lui lascia per terra giornali, calzini, asciugamani?». È la difficile alchimia della convivenza: se si hanno le formule giuste non ci sono problemi, se si sbaglia qualche reazione la coppia scoppia.

Partendo da questa universale convinzione, Allan e Barbara Pease, coppia di celebri psicoterapeuti australiani, tornano sull'argomento con il loro libro *Perché gli uomini lasciano sempre alzata l'asse del water e le donne occupano il bagno per ore?*.

I Pease, coppia anche nella vita, hanno viaggiato in più di 30 paesi e scoperto che certi problemi fra uomo e donna sono comuni a prescindere da cultura, status e latitudine.

I due studiosi hanno potuto stabilire per esempio sette punti dolenti che qualsiasi moglie, a Voghera come a Los Angeles, addebita prioritariamente al marito. Eccoli: voler imporre sempre consigli e soluzioni su tutto; fare nevroticamente zapping con il telecomando; non chiedere mai indicazioni stradali e quindi sbagliare strada; lasciare sempre alzata l'asse del water; brontolare quando si tratta di fare compere; incrementare la volgarità con il passare degli anni; divertirsi a raccontare barzellette osé.

Nella lista dell'insofferenza maschile troviamo invece: i rumori inutili mentre si guardano i rigori nella finale di Champions League; le emicranie strategiche; il rinfacciare all'infinito una vicenda da niente; l'attitudine a esagerare, a divagare dall'argomento centrale della conversazione e a disperdersi in dettagli; le richieste di aiuto su tutte le decisioni, dal menù per la cena al colore d'un vestito.

Queste sono in genere le vere ragioni per cui, in caso di corna, gli uomini spiattellano la famosa frase: «Con mia moglie? Tesoro, è come se fossimo separati in casa».

UNITÀ 8

9 (CD1).   E2

● *Raddoppia il numero dei trenta-quarantenni che vivono ancora in famiglia. Cambiano quindi gli stili di vita e quindi l'adolescenza si allunga ritardando l'ingresso nel mondo dei grandi, nel mondo degli adulti. Adele Menniti, ricercatrice dell'Istituto di Ricerca sulla popolazione e politiche sociali del CNR, buonasera, benvenuta a Baobab.*

○ Buonasera a voi e a tutti i radioascoltatori.

● *Dottoressa, è vero però che a questo punto comincia a crescere l'insofferenza dei genitori.*

○ Mah, non direi, perché i genitori in realtà sono alleati in questa nuova tendenza, oddio veramente tanto nuova non è. Già i giovani che rimanevano a casa in famiglia in Italia era un fenomeno già registrato, diciamo che negli ultimi anni questa tendenza è proseguita e fa molto effetto vedere questi trenta-trentaquattrenni che stanno a casa, perché sono 1 su 4: uno su quattro dei giovani adulti di questa età, rimane ancora a vivere con i genitori.

● *Sono più gli uomini o le donne, cioè i ragazzi o le ragazze?*

○ Mah, sono più i ragazzi, ma per un fatto tecnico, diciamo, perché dato che in Italia si esce di casa per sposarsi e gli uomini si sposano a 3-4 anni più delle loro compagne, allora a parità di età troviamo una percentuale più elevata di maschi, ma il fenomeno, diciamo, riguarda tutti e due.

● *Quindi crescono un po' i ragazzi "mammoni", ulteriormente.*

○ Allora, innanzitutto diciamo che i ragazzi sono molto più liberi a casa di quanto non fossero uno o due decenni fa; sono liberi di invitare amici, di avere la fidanzata a casa, o il fidanzato a casa, di fare feste, di invitare chi vogliono, basta avvisare e diciamo la casa è loro così com'è quella con i genitori. Un altro aspetto particolare riguarda la partecipazione all'organizzazione familiare: abbiamo da una parte l'organizzazione nel senso fare la spesa, il rassettare casa, rimettere a posto e così via; dall'altra abbiamo il contributo economico. Diciamo che da tutte e due le parti il ruolo dei ragazzi è marginale, perché poco fanno a casa e se lavorano il contributo economico non c'è, nel senso che si spesano da soli, ecco, i viaggi che fanno li pagano da soli, il vestiario, però non contribuiscono alle spese della famiglia, diciamo.

● *Comunque, a proposito di aspetti economici, tra le*

cause principali che vedono restare in famiglia i ragazzi, ci sono proprio quelle economiche, cioè il fatto di non avere dei lavori e di non avere comunque dei lavori stabili.

○ Questo sicuramente c'è, esiste, è un problema molto sentito, perché è chiaro che se non hai uno stipendio e per di più uno stipendio fisso non ti puoi accollare un affitto o un mutuo, oltre che il mutuo neanche la banca te lo dà. Però mi pare, dai risultati di questa nostra ricerca, che queste costituiscono delle condizioni di sfondo, nel senso che se non ci sono ovviamente neanche se ne parla di andare via, ma se ci sono non è detto che te ne vai, tant'è che parecchi di questi ragazzi che vivono a casa comunque lavorano.

UNITÀ 9

10 (CD1).   A1

● *Fatima buongiorno, da Treviso!*
○ Pronto, buongiorno.

● *Fatima, buongiorno, da Treviso. Lei ha 37 anni, leggo dalla scheda, e che ci chiama, e cosa è successo quando è tornata dalla maternità, quando ha cercato di tornare dalla maternità?*
○ Allora guardi, io sono tornata – a parte il fatto che di maternità ho preso forse il 43-44% della busta paga, invece dell'80% – quando sono tornata, il signore dove io sono andata a lavorare non ha voluto riprendermi, ha fatto tanti problemi... va be'!

● *Che contratto ha Lei, Fatima?*
○ Io lavoro per una cooperativa che mi manda a lavorare a destra e a manca in giro: un giorno di qua, una settimana di là, un mese di qua, due anni di qua, cinque mesi di qua, praticamente giro... ho girato tutte le aziende del Veneto qua vicino, a Pordenone, a Treviso, e dappertutto.

● *...E andiamo dal nostro Matteo Cossu, il quale ci ha scritto una bella e lunga e-mail per parlare di occupazione, partendo appunto da se stesso. Matteo, quanti anni ha e cosa fa?*
○ Eh, sì, allora io ho 28 anni e al momento lavoro come free lance impaginatore diciamo, per diversi studi a Barcellona.

● *A Barcellona, all'estero. Lei di dov'è?*
○ Scusi?

● *Di dov'è, di dov'è originario?*
○ Io sono di Latina e ho studiato però a Ravenna e ho studiato una cosa completamente diversa da quella che faccio adesso. Ho studiato Scienze Ambientali a Ravenna.

● *Lei per quanto tempo ha provato a cercare lavoro atti-*

nente a quello che aveva studiato?
○ Guardi... io sono stato più di un anno e mezzo con contratti, diciamo contratti, erano borse di studio all'interno delle università, però molto intermittenti e, dopo appunto un anno e mezzo di fare tre mesi sì tre mesi no, ho deciso appunto di dare un cambio abbastanza radicale alla mia formazione e ho deciso appunto di...

● *...di fare tutt'altro e anche di andare all'estero.*

UNITÀ 10

11 (CD1).   G1

Succedeva sempre che a un certo punto uno alzava la testa... e la vedeva. È una cosa difficile da capire. Voglio dire... Ci stavamo in più di mille, su quella nave, tra ricconi in viaggio, e emigranti, e gente strana, e noi... Eppure c'era sempre uno, uno solo, uno che per primo... la vedeva. Magari era lì che stava mangiando, o passeggiando, semplicemente, sul ponte... magari era lì che si stava aggiustando i pantaloni... alzava la testa un attimo, buttava un occhio verso il mare... e la vedeva. E allora si inchiodava, lì dov'era, gli partiva il cuore a mille, e, sempre, tutte le maledette volte, giuro, sempre, si girava verso di noi, verso la nave, verso tutti, e gridava: l'America. Poi rimaneva lì, immobile come se avesse dovuto entrare in una fotografia, con la faccia di uno che l'aveva fatta lui, l'America.
Quello che per primo vede l'America. Su ogni nave ce c'è uno. E non bisogna pensare che siano cose che succedono per caso, no... e nemmeno per una questione di diottrie, è il destino, quello. Quella è gente che da sempre c'aveva già quell'istante stampato nella vita. E quando erano bambini, tu potevi guardarli negli occhi, e se guardavi bene, già la vedevi, l'America, già lì pronta a scattare, a scivolare giù per nervi e sangue e che so io, e da lì fin dentro al cervello e poi fino alla lingua, fin dentro a quel grido, AMERICA!!!!, c'era già in quegli occhi di bambino tutta l'America, lì ad aspettare.

UNITÀ 11

12 (CD1).   E2

● *Passiamo a parlare dei bambini, dei ragazzini, che sono – pare – schiavi del cellulare: lo dice almeno uno studio che è stato condotto dall'università di Trieste e così è andata a finire che tutti quei genitori che speravano di avere una sorta di guinzaglio elettronico per controllare un po' di più i bambini e che hanno regalato loro il cellulare, si trovano ad averne fatto in qualche maniera dei bambini dipendenti. Professoressa Anna Oliviero Ferraris, docente di Psicologia dello sviluppo all'Università la Sapienza di Roma: prima di tutto, buonasera.*
○ Buonasera.

● *Seconda cosa, vorrei chiederLe: è vero che questi ragazzini adesso sono dipendenti?*

○ Sì, più che ragazzini sono ancora bambini, perché hanno tra gli 8 e gli 11 anni. In realtà c'è una legge che dice che il cellulare lo possono comprare persone che hanno compiuto i 18 anni: qui sono i genitori che, invece, con l'idea di poter esercitare uno stretto controllo sui figli, anche a distanza, danno questo cellulare, che poi loro in realtà usano come un giocattolo, quindi mandano gli sms, possono fare dei piccoli giochetti, eccetera. Ora, questo ha delle controindicazioni: cioè da un lato è anche bene che i bambini ogni tanto stiano lontano dai genitori, al di fuori del loro controllo, perché questo serve loro per sviluppare l'autonomia, risolvere da soli tanti piccoli problemi quotidiani senza dover ricorrere sempre alla mamma... e tra l'altro...

● *Anche perché se teniamo conto che il 44% delle chiamate sono proprio ai genitori, evidentemente una forma di emancipazione per modo di dire.*

○ Esatto, perché gli si dà un messaggio implicito, insomma "tu non puoi cavartela da solo, hai sempre bisogno di mamma, rivolgiti a me in qualsiasi momento" eccetera, e questo non fa bene. In più, è anche un modo per non concentrarsi mai su nulla, insomma invece di socializzare con i bambini presenti in classe o nella scuola, si cercano contatti con altri bambini lontani eccetera. Quindi i bambini si abituano ad essere sempre in un'altra dimensione, in un altro spazio a, diciamo, distrarsi, non concentrarsi...

● *Certo. Tanto più poi che la gran parte dell'utilizzo dei cellulari, a parte appunto il fatto di chiamare mamma e papà e di utilizzarlo per mandare gli sms agli amici, viene proprio impiegato in maniera massiccia per i giochi, che ormai tutti i telefonini hanno.*

UNITÀ 12

13 (CD1).   E2

● *Silvia, 26 anni, di Roma, tifosa della Roma. Com'è nata la tua passione per il calcio?*

○ È nata grazie ad alcuni miei amici di adolescenza con i quali sono andata allo stadio sin da giovane, sin da piccola, e sono riusciti a trasmettermi la loro passione per il calcio in generale e per la Roma in particolare.

● *Segui la tua squadra quanto va in trasferta?*

○ Mi piacerebbe, ma per un problema di sicurezza preferisco non farlo. Perché già quando le partite sono in casa, ho avuto occasioni in cui sono stata a rischio. In alcune occasioni sono state a rischio, mi sono sentita poco sicura, poco protetta dentro lo stadio. Ma comunque è un luogo che conosco bene e che quindi saprei come affrontare una difficoltà. In uno stadio che non conosco, in una città che non conosco, scortata da cele-

rini, da polizia, non mi sentirei... mi sentirei un animale. E non mi considero un animale, quindi non...

● *Se tu dovessi dire qualcosa per convincere qualcuno a diventare tifoso, che cosa diresti?*

○ Lo porterei allo stadio in Curva Sud.

● *E che cosa faresti per questi problemi della violenza negli stadi, che cosa si potrebbe fare, secondo te?*

○ Io non sono assolutamente d'accordo con i cori che si alzano allo stadio quando si vuole difendere i tifosi violenti. Quindi ci sono alcuni cori che dicono: "libertà per gli ultrà", oppure "fuori gli ultras dalle galere": io non sono assolutamente d'accordo, anzi metterei un buon 80% degli ultras in galera, non farei uscire quella rara percentuale che è riuscita ad andarci, in galera.
Ci sono persone che non sono sportivi o tifosi, sono delinquenti. Poi per un motivo o per l'altro si legano ad una squadra piuttosto che a un'altra, e semplicemente dicono: "io come tifoso romanista, o come tifoso juventino, interista" di qualunque squadra "vado a menare Tizio Caio e Sempronio". Quello non c'entra niente il calcio, quella è una questione di rabbia repressa, di voglia di sfogarsi e utilizzano il calcio per questi loro scopi, secondo me molto molto abbietti, però vabbè...

UNITÀ 13

14 (CD1).   A1

Amici dei Gemelli: rinnovamenti tecnici, diciamo così, sono adesso richiesti nel lavoro, ma forse anche in casa. Siete un po' stressati, sempre perché sentite la mancanza dell'appoggio del vostro Mercurio; ma questo non significa che non possano andare bene le questioni professionali. Si tratta soltanto di mantenere, diciamo, questa freddezza nei rapporti con gli altri, di non scattare per niente, naturalmente anche nel rapporto di amore, che è così benissimo illuminato da questa Venere.
Cancro: in amore avete bisogno di una spalla su cui posare la vostra testa, probabilmente anche oggi c'è un pochino di emicrania per il segno del Cancro; perché dico così? Perché la vostra Luna in Ariete, segno che governa la nostra testa, facilmente provoca, diciamo, le emicranie. Il campo pratico comunque è sempre ben illuminato, la stessa sfera della vita privata diventa molto più leggera questo pomeriggio, quando la Luna andrà vicina a Giove nel segno del Toro, che sarà poi ottima, pensate, in serata, anche per parlare di affari.
Andiamo al segno del Leone: anche il vostro cuore forse qualche volta sospira, no? Ma questa, insomma, è la stagione dei sospiri, ci stiamo avvicinando alla primavera, io direi però di sfruttare questa giornata soprattutto per il vostro lavoro, per i vostri contatti anche con il lontano, perché è sempre molto pronunciato in questo Cielo, diciamo, il richiamo del lontano: possibilità nuove, conoscenze nuove, persone che arrivano da lontano; che dunque

potrebbero esservi utili in questo momento, che credo sia una fase rinnovativa per molti voi del Leone, anche se non siete giovanissimi.

Andiamo al segno della Vergine, che avrà una bella Luna questa sera, una Luna che darà anche più calore, diciamo, al rapporto di amore. Cercate anche occasioni che vi consentano di pensare, no, perché ultimamente avete fatto molte cose, ma tutto è stato impostato, credo, in maniera un po' frettolosa: ecco perché nemmeno voi, che siete grandi critici di voi stessi, siete soddisfatti di come sono andati avanti certi lavori.

UNITÀ 14

15 (CD1).   F2

Nessuno diceva niente. Nessuno voleva essere il primo a cedere. Ciascuno forse dubitava di sé, come facevo io, nell'incertezza se tutto quell'allarme fosse reale o semplicemente un'idea pazza, un'allucinazione, uno di quei pensieri assurdi che infatti nascono in treno quando si è un poco stanchi. La signora di fronte trasse un sospiro, simulando di essersi svegliata e, come chi uscendo dal sonno leva gli sguardi meccanicamente, così lei alzò le pupille fissandole, quasi per caso, alla maniglia del segnale d'allarme. E anche noi tutti guardammo l'ordigno, con l'identico pensiero. Ma nessuno parlò o ebbe l'audacia di rompere il silenzio o semplicemente osò chiedere agli altri se avessero notato, fuori, qualche cosa di allarmante.

Ecco un'altra città. Come il treno, entrando nella stazione, rallentò un poco, due tre si alzarono non resistendo alla speranza che il macchinista fermasse. Invece si passò, fragoroso turbine, lungo le banchine dove una folla inquieta si accalcava anelando a un convoglio che partisse, tra caotici mucchi di bagagli. Un ragazzino tentò di rincorrerci con un pacco di giornali e ne sventolava uno che aveva un grande titolo nero in prima pagina. Allora con un gesto repentino, la signora di fronte a me si sporse in fuori, riuscì ad abbrancare il foglio ma il vento della corsa glielo strappò via. Tra le dita restò un brandello. Mi accorsi che le sue mani tremavano nell'atto di spiegarlo. Era un pezzetto triangolare. Si leggeva la testata e del gran titolo solo quattro lettere. IONE, si leggeva. Nient'altro. Sul verso, indifferenti notizie di cronaca.

Verso una cosa che finisce in IONE noi correvamo come pazzi, e doveva essere spaventosa se, alla notizia, popolazioni intere si erano date a immediata fuga.

Mancavano solo due ore. Tra due ore, all'arrivo, avremmo saputo la comune sorte. Due ore, un'ora e mezzo, un'ora, già scendeva il buio.

La stazione, la curva nera delle tettoie, le lampade, i cartelli, tutto era a posto come al solito.

Ma, orrore!, il direttissimo ancora andava e vidi che la stazione era deserta, vuote e nude le banchine, non una figura umana per quanto si cercasse. Il treno si fermava finalmente. Corremmo giù per i marciapiedi, verso l'uscita, alla caccia di qualche nostro simile. Mi parve d'intravedere,

nell'angolo a destra in fondo, un po' in penombra, un ferroviere col suo berrettuccio che si eclissava da una porta, come terrorizzato. Che cosa era successo? In città non avremmo più trovato un'anima? Finché la voce di una donna, altissima e violenta come uno sparo, ci diede un brivido. "Aiuto! Aiuto!" urlava e il grido si ripercosse sotto le vitree volte con la vacua sonorità dei luoghi per sempre abbandonati.

UNITÀ 15

16 (CD1).   E3

● *Siamo collegati con la professoressa Valeria Della Valle, che è docente di Lessicografia e Lessicologia all'Università la Sapienza di Roma. Professoressa buonasera.*

○ Buonasera.

● *Meno male che da tanti anni esiste il termine "professoressa", se no ci trovavamo subito in difficoltà.*

○ Infatti, avremmo cominciato male, ma...

● *Avremmo cominciato male...*

○ Avremmo cominciato male, tant'è che c'è anche qualcuno che preferisce "professora"; adesso magari vedremo perché.

● *Adesso vedremo perché; io però, prima di addentrarci nei meandri di queste difficoltà lessicali, vorrei invece farLe sapere che noi stamattina, oggi abbiamo fatto il sondaggio proprio su questo argomento, chiedendo ai nostri ascoltatori se, secondo loro, il nuovo fronte delle pari opportunità si combatte anche con il femminismo grammaticale. Beh, il 66% dei nostri ascoltatori ritiene di no. Solo il 33% ritiene di sì. Lei come giudica questo risultato?*

○ Mah, lo giudico un risultato abbastanza equilibrato. Equilibrato nel senso che io non credo che le pari opportunità e l'uguaglianza si possa stabilire o definire o decidere in base a leggi e a regolamenti. Ecco, da un punto di vista linguistico saranno le abitudini, sarà l'accoglimento di un certo termine, sarà soprattutto la evoluzione del costume a portare l'affermazione di certi termini e l'abbandono di altri.

○ *Però ce ne sono alcuni che sono un po' difficili da mandar giù: per esempio "capa"; "ministra" l'abbiamo usato molto, lo continuiamo ancora ad usare.*

○ Sì, ma non solo io direi che, vede, "ministra"... lei ha fatto l'esempio giusto. Certamente, al primo apparire, l'effetto non era buono, ma perché non era buono? Semplicemente perché non eravamo abituati; e quindi tutte le parole nuove alle quali non siamo abituati fanno un brutto effetto, no, si dice "sono brutte": ecco, "ministra" che da un punto di vista grammaticale è del tutto corretto, quindi è solo fastidioso per la poca abitudine, ma "ministra" oramai compare in tutti i quotidiani, è continuamente pronunciato nel corso dei giornali radio, dei telegiornali e compare già da molto tempo nei vocabolari della lingua italiana. Ecco, direi che in questo caso parliamo proprio di una di quelle parole che lentamente, senza nessuna imposizione, si è andata affermando, ma perché si è andata affermando? Perché negli ultimi anni abbiamo avuto più ministre.

Ma pensi al caso di "sindaco": ecco, molti anni fa naturalmente il sindaco era sempre un uomo e nel corso del tempo ora abbiamo molte "sindache". Mi è capitato, perché mi occupo di questa materia, di vedere delle lettere firmate dalla donna che ricopre quella carica, firmate "la Sindaca".

UNITÀ 16

1 (CD2). F2

● *La pasta è il nostro piatto forte, e quindi le variazioni sul tema si sprecano.*

○ E anche i bambini, da un'indagine che è stata condotta recentemente, hanno dimostrato appunto di dare i voti più alti nelle loro preferenze per, diciamo così, i pranzi natalizi, proprio alle paste, alle paste ripiene, alle paste fatte in casa, magari fatte, preparate appunto aiutando la mamma o aiutando in quell'occasione anche il papà: quindi riscoprire anche l'intimità diciamo familiare nel preparare questi alimenti.

● *Diventa un momento per stare insieme in famiglia anche quello della preparazione, in qualche modo...*

○ ...Certo. E l'Italia è soprattutto portatrice di queste tradizioni che vanno dalle nostre materie prime alle nostre ricette tradizionali e assolutamente non le dobbiamo perdere, anzi dobbiamo fare di tutto perché vengano conservate perché sono una parte di noi.

● *Ecco, io prima ho fatto una specie di elenco di alcuni tipi di pasta che sono tipici delle regioni. Quelli più particolari, per esempio?*

○ Mah... quelli più particolari, diciamo che sono un momentino particolari a seconda del punto dell'Italia da cui li guardiamo, nel senso che al Nord chiaramente alcuni formati di pasta tipici della tradizione meridionale sembrano magari quelli più particolari, guardando invece il Paese dal Sud verso il Nord magari risultano più affascinanti quelli che possono essere fatti nel nord del Paese. Per cui è sempre un momentino una cosa personale. Diciamo che c'è un po' di tutto appunto, come si diceva prima: abbiamo dalle paste ripiene a dei tortellini a degli gnocchi in salsa, a dei ravioli, cappelletti, maccheroni, lasagne; poi abbiamo comunque dei ravioli con pecorino, sformato di anellini, cappelletti ripieni di cappone, ce n'è di tutti i colori.

● *Ce n'è di tutti i colori e di tutte le foggie: per esempio in Abruzzo viene fatta una pasta particolare che viene tagliata con una specie... uno speciale mattarello dentellato e che assume una forma strana, no?*

○ Sì, la cosa, ripeto ancora, particolare, è che molto spesso noi italiani siamo un momentino così... strani, diciamo: andiamo a cercare le cucine etniche di altri Paesi, quando ancora non conosciamo le nostre. C'abbiamo ancora un territorio che ci riserva tantissime sorprese e forse prima di guardare gli altri dovremmo cercare di conoscere bene questa nostra Italia.

UNITÀ 17

2 (CD2). E1

I mariti di solito hanno l'ufficio o il negozio o magari non hanno niente e se ne vanno a spasso con gli amici. Ma per me, il mio ufficio, il mio negozio, i miei amici erano Agnese. Non la lasciavo un momento sola, le stavo accanto perfino, forse stupirete, quando cucinava. Ho la passione della cucina e ogni giorno, prima dei pasti, mi infilavo un grembiule e aiutavo Agnese in cucina. Facevo di tutto un po': pelavo le patate, capavo i fagiolini, preparavo il battuto, sorvegliavo le pentole. L'aiutavo tanto bene che lei, spesso, mi diceva: "Guarda, fa' tu... ci ho mal di testa... vado a buttarmi sul letto". E io allora cucinavo da solo; e con l'aiuto del libro di cucina, ero anche capace di provare dei piatti nuovi. Peccato che Agnese non fosse golosa; anzi negli ultimi tempi le era andato via l'appetito e sì e no toccava cibo. Una volta lei mi disse, così per scherzo: "Hai sbagliato a nascere uomo... tu sei una donna... anzi una massaia". Debbo riconoscere che in questa frase c'era qualcosa di vero: infatti, oltre a cucinare, mi piace anche lavare, stirare, cucire e, magari, nelle ore di ozio, rifare gli orli a giorno dei fazzoletti. Come ho detto non la lasciavo mai: neppure quando veniva a trovarla qualche amica o la madre; neppure quando le saltò in capo, non so perché, di prendere lezioni d'inglese: pur di starle accanto, mi adattai anch'io a imparare quella lingua così difficile. Le ero tanto attaccato che qualche volta mi sentivo perfino ridicolo: come quel giorno che non avendo inteso una frase che lei mi aveva detto a bassa voce, in un caffè, la seguii fino ai gabinetti e l'inserviente mi fermò avvertendomi che era il reparto signore e io non ci potevo entrare. Eh, un marito come me non è facile trovarlo. Spesso, lei mi diceva: "Debbo andare nel tal posto, vedere la tal persona che non ti interessa". Ma io le rispondevo: "Vengo anch'io... tanto non ci ho niente da fare". Lei, allora, mi rispondeva: "Per me, vieni pure, ma ti avverto che ti annoierai". E invece, no, non mi annoiavo e dopo glielo dicevo: "Hai visto: non mi sono annoiato".

Insomma, eravamo inseparabili.

UNITÀ 18

3 (CD2). E1

● *Io a questo punto chiamerei in causa Tonino Cantelmi, che è docente di psichiatria ed esperto di "cyberpsicologia", una nuova branca, vero professore? Buongiorno.*

○ Eccomi, buongiorno. Sì, una branca che nasce dal fatto che l'impato della mente umana con la tecnologia digitale ha determinato delle conseguenze che non possiamo più eludere.

● *Ecco, quand'è che l'uso della Rete può diventare un problema? Perché si potrebbe pensare che questo sia esclusivamente un fatto di dosaggio, no, come per altre dipendenze. Però non è solo questo.*

○ Non è solo questo, la Rete è molto più intrigante: in qualche modo la realtà cosiddetta virtuale sembra essere più affascinante di quella reale. E quindi diventa un problema quando viene vissuta come alternativa. Ad esempio, quando alcune persone non possono innamorarsi se non attraverso chat, o attraverso una tecnomediazione della relazione.

● *Ecco, Internet offre naturalmente molti vantaggi di partenza a chi ne fa uso, e uno dei più importanti mi pare sia proprio quello dell'anonimato, no, perché si superano di colpo tutte le barriere relazionali, le timidezze, le difficoltà a socializzare con gli altri, è così?*

○ Beh, l'anonimato è una grande... ha una enorme importanza. In realtà, più che di anonimato parliamo di personalità online, cioè ognuno di noi si presenta in rete con una o addirittura più personalità online, personalità che naturalmente non può sperimentare nella vita reale. Cioè se io mi chiamo, che ne so, "dolce pensiero blu" e mi propongo come una giovane ragazza affascinante e romantica, mi porrò in un certo modo; poi magari sono un adolescente brufoloso, timido e impacciato. Oppure se mi propongo come una persona estremamente riflessiva e poi invece nella vita reale... Insomma, noi possiamo sperimentare molteplicità del nostro sé in Rete e questo sganciandolo dalla realtà e questo sembra essere estremamente affascinante. Le donne lo amano moltissimo, diciamo che le donne sono molto attratte da questa possibilità di mascheramento e anche di svelamento.
Va benissimo corteggiare qualcuno – peraltro anonimo, e quindi non sappiamo esattamente chi – in rete, ma va poi benissimo saper mettere questo insieme a un corteggiamento reale, insomma, come dire, la possibilità di sperimentarsi in più ambiti. La rete è una sorta di estensione della nostra mente, il problema è se diventa tutto lì il nostro stare... diciamo il nostro essere totalmente online, e questo diventa il vero problema.

UNITÀ 19

4 (CD2).   A2

Buongiorno, oggi parleremo delle emigrazioni interne, dalle aree economicamente più arretrate del Paese verso le regioni del centro-nord. Un fenomeno che appare in ripresa, anche se non ha nulla a che vedere con quello degli anni '50 quando i quozienti migratori erano doppi rispetto

a quelli attuali e quando si trattava di una emigrazione scarsamente scolarizzata, mentre ora si tratta perlopiù di laureati o comunque di ragazzi che possono vantare una qualche specializzazione. La chiave di lettura è duplice: da un lato c'è chi vede il bicchiere mezzo vuoto e cioè la conferma della difficoltà di trovare lavoro nel Mezzogiorno, zona del Paese nella quale non si riesce a creare sviluppo e occupazione né ad attrarre investimenti. Quindi, una migrazione sostanzialmente per necessità che fra l'altro impoverisce il tessuto produttivo e riduce ulteriormente le possibilità di riscatto. Dall'altra, per chi guarda il bicchiere mezzo pieno, c'è da riflettere sul cambiamento di mentalità che si sta intravedendo soprattutto fra i giovani, giovani che anziché accontentarsi di un lavoro da sottooccupati o rassegnarsi a vivere nelle maglie dell'assistenzialismo, si scuotono, superano insomma un certo atteggiamento fatalista e si prestano a spendere la loro professionalità dove c'è richiesta, magari con l'obiettivo di tornare presto a casa e mettere a frutto l'esperienza cercando di mettersi in proprio.

5 (CD2).   B2

● *Allora, sentiamo una prima telefonata: Nino da Messina. Buongiorno.*

○ Buongiorno dottore, a Lei e ai suoi ospiti. Vorrei dire che è un argomento questo molto doloroso, perché è doloroso che i giovani debbano abbandonare le loro città, le loro sedi per trasferirsi anche nella stessa nostra nazione. Ma la cosa è ancora peggiore quando un giovane, pur disposto a recarsi in alt'Italia presso qualunque città per trovare una sistemazione appropriata, non trova neanche questo, non riesce a trovare questo suo... a soddisfare questo suo bisogno ed è costretto ad andare all'estero. Vedete, questo è il caso di un mio figlio, che pur laureato in Legge con un master internazionale per dirigente d'azienda e pur parlando e scrivendo quattro lingue straniere, non è riuscito a trovare una sistemazione, un'adeguata sistemazione in Italia, neanche in alt'Italia; è stato costretto ad andare a Londra dove fortunatamente ha trovato un'ottima sistemazione in un'azienda americana.

● *Grazie, Nino, per questa Sua testimonianza.*

UNITÀ 20

6 (CD2).   A2

○ Io darei la responsabilità soprattutto a quello che era previsto da molti anni; da molti anni si sta dicendo... si sta lanciando un messaggio, però l'opinione pubblica non viene informata correttamente, perché viene più che altro spaventata e disinformata con notizie diciamo da prima pagina un giorno, e da ultima pagina o da nessuna pagina per altri 29 giorni al mese. Direi che si tratta dell'effetto serra: questo si è detto da molti anni e ormai va detto in maniera tale da provvedere. Cioè abbiamo, da qualche parte della nostra casa, la Terra, abbiamo un guasto: è inutile dire "c'è il guasto, oddio come facciamo, aiuto aiuto!", bisogna provvedere, bisogna riparare il guasto, ecco. E allora l'effetto serra vuol dire tanto calore in più per la nostra atmosfera; questo calore, quando non ci sono perturbazioni vuol dire tanto caldo e d'inverno significa anche un bel po' di caldo in più... e non solo le estati sono roventi, ma anche gli inverni sono caldi...

● *Questo è stato un inverno caldo.*
○ È stato un inverno, diciamo, in parte caldo in parte anche freddo, ma non bisogna guardare un singolo inverno, una singola estate, bisogna guardare il trend, cioè l'andamento delle cose come vanno negli anni: in media, la temperatura sta andando su. Quindi, dicevo, quando non ci sono perturbazioni fa troppo caldo e ci accorgiamo anche della siccità e anche di tutti i guasti e delle conseguenze di queste temperature così alte; quando invece arriva una perturbazione, questa è più violenta del normale e quindi ci porta alluvioni, ci porta grandinate, ci porta trombe d'aria. Ecco, queste due facce della medaglia sono una stessa realtà, si chiama effetto serra. L'effetto serra è una conseguenza di un modello energetico ormai dichiaratamente sbagliato: consumiamo troppo petrolio.

UNITÀ 21

7 (CD2). G1

Nei primi sette mesi di quest'anno, nel suo complesso, l'agroalimentare italiano ha sostanzialmente mantenuto le sue quote di esportazioni: positivo invece il bilancio della sola industria alimentare che segna una crescita del 2,4% e questo a dimostrazione che quando il nostro prodotto è immediatamente riconoscibile – da un marchio che oramai si promuove da solo, oppure anche da una etichetta che comunque richiama le origini italiane e alcune caratteristiche particolari – quando il nostro prodotto, dicevo, è immediatamente riconoscibile in un negozio o negli scaffali di un supermercato, il sapore italiano continua ad essere associato alla qualità. C'è il problema delle contraffazioni, è vero, e quindi della concorrenza sleale o addirittura illegale; questo però non ci deve indurre al vittimismo: gli altri concorrenti stranieri non sono tutti imbroglioni o incapaci; in molti settori hanno standard qualitativi perlomeno uguali ai nostri e sono anche competitivi per quanto riguarda i prezzi.

● *Allora, onorevole Urso, proviamo ad elencare innanzitutto i punti di forza e quelli di debolezza del nostro settore agroalimentare e poi quindi della nostra capacità di fare sistema-paese all'estero, poi li analizzeremo meglio uno per uno.*
○ I punti di forza sono sicuramente il fatto che vengono

riconosciuti i nostri prodotti agroalimentari come prodotti di eccellenza, di qualità, prodotti per i quali il consumatore medio è disposto a pagare qualcosa di più, e lo dimostrano alcune ricerche significative sul mercato statunitense, soprattutto in riferimento ai prodotti contraffatti, meglio ancor di più ai prodotti imitativi italiani, e sono tanti. Lei pensi che sulle esportazioni italiane pari a 1,8 miliardi di dollari, agroalimentari negli Stati Uniti, vi sono almeno altre dieci volte di più prodotti imitativi italiani. Ebbene, una ricerca ha dimostrato che il consumatore americano è disposto a pagare dal 30 all'80% di più se un prodotto appare, ripeto appare, italiano ancorché non lo sia. Basta che abbia un richiamo di qualunque tipo all'Italia, una piccola bandierina tricolore, l'immagine della gondola di Venezia, quel prodotto può essere venduto sui grandi ipermercati americani anche con un prezzo dal 30 all'80% in più rispetto a invece... se fosse apparso, se apparisse al consumatore americano come un prodotto realizzato in un altro paese. E quindi il valore del "made in Italy" in questo settore è un valore estremamente elevato e questo è l'elemento sicuramente di forza.

UNITÀ 22

8 (CD2). E1

Società e costume

Chi trova un amico, afferma il noto proverbio, trova un tesoro. Ma è una fortuna che capita sempre più di rado. L'aumento delle ore lavorative in una società ipercompetitiva e l'avvento di Internet come compagno inseparabile del tempo libero hanno creato una generazione di giovani uomini quasi privi di autentici amici, rivela un'indagine pubblicata recentemente. Vent'anni fa, un rapporto sull'amicizia aveva rivelato che gli uomini avevano una media di quasi quattro amici. Oggi è stato rifatto lo stesso sondaggio e si è scoperto che la media è scesa a due amici ai quali ogni uomo sente di poter confidare qualunque segreto.

Significa che ormai gli amici "veri", quelli su cui si può contare e a cui si può dire tutto, si sono quasi dimezzati. Le fasce d'età più prive di amici sono quella tra i venticinque e i trentacinque anni, in cui uomini e donne si concentrano sulla carriera e sulla famiglia da formare, perdendo gradualmente contatto con i compagni di scuola e d'università, ovvero con i grandi amici della gioventù; e quella dei pensionati che vivono a lungo, i cui amici di una vita scompaiono poco per volta, lasciandoli soli.

Il vuoto lasciato dagli amici viene in parte rimpiazzato da una moltitudine di rapporti "semi-distaccati" con colleghi di lavoro e genitori di bambini che vanno alla stessa scuola dei propri figli; oltre che dalle "chat room" o dai "forum" su Internet. Ma, riconoscono tutti, non è la stessa cosa dell'amico del cuore con cui si andava al bar, facendo tardi parlando di sport, politica, fatti personali.

Il numero delle "conoscenze" è alto: ognuno di noi ha rapporti di qualche tipo con settecentocinquanta persone. Nella stragrande maggioranza dei casi, tuttavia, queste non superano il "test della fiducia", l'elemento che distingue un'amicizia sincera da una conoscenza occasionale priva di valori e sentimenti.

"È diventato difficile per un uomo avere buoni amici"– conferma una delle persone interpellate dall'inchiesta – "Io sono molto socievole, vado fuori un sacco, vedo tanta gente, ma facciamo tutti vite sempre più indaffarate, e tra lavoro, amore, famiglia, la prima cosa che tagliamo è l'amicizia. Negli ultimi quattro anni ho conosciuto un solo nuovo amico, e la ritengo già una fortuna".

Anche le donne hanno lo stesso problema. Dice una di loro: "Quando metti su famiglia, rinunci quasi senza accorgertene a coltivare le amicizie. Molte delle mie serate fra amiche di una volta vertevano su come trovare l'uomo giusto, ma adesso siamo tutte mogli e madri, e a quanto pare non abbiamo più molto di cui parlare".

UNITÀ 23

9 (CD2).   G2

L'incontro di oggi è un incontro per me speciale, perché... cosa devo dire di Stefano Benni che chiacchiererà con noi oggi del suo libro, ma non solo, di tutto quanto ci passerà per la testa? Nel risvolto di copertina dell'ultimo libro ci sono 19 titoli riportati: quindi mi sento assolutamente inadatto a presentarlo, se non per dire che tutti lo conosciamo, che è uno degli scrittori più tradotti all'estero e sicuramente più amati nel nostro Paese.

● *I tuoi romanzi sono sempre degli apologhi, sempre troviamo qualcosa che ci fa meditare; io voglio proprio chiederti se è nel nome di qualcuno che parli, o è sempre Stefano Benni che ci racconta storie? Anche perché la visione, soprattutto negli ultimi libri – mi ricordo anche* Saltatempo, Achille pie' veloce *– è una visione piuttosto desolata del mondo e a un certo punto anche in questo mi sono trovato un personaggio che dice: "Io credo che esisteranno sempre l'intelligenza, la voglia di libertà, l'eros e le sale da ballo – ha detto il nonno – ma la parola 'speranza' non mi sento più di pronunciarla". La mia domanda è molto più diretta: hai degli eroi? Hai qualcuno per cui parli o di chi vorresti parlare?*

○ Mah, io credo di parlare a nome dei libri. Cioè io gioco nella squadra dei libri e quindi penso che i libri abbiano ancora un bel ruolo di resistenza, di speranza, nel discorso della letteratura. Cioè non è necessario, secondo me, che... un libro non si identifica né col suo finale né con la speranza che dà. Io parlo per i libri, cerco di fare dei libri in qualche modo diversi dalla miseria culturale, televisiva, dell'avidità economica che vedo, in qualche modo scrivere un libro che è non contro, che è semplice, ma... altrove rispetto a queste cose qui per me è già un motivo di speranza.

UNITÀ 24

10 (CD2).   A2

Cantava De Andrè: "La maldicenza insiste, batte la lingua sul tamburo". L'aveva già capito il cantautore genovese che il pettegolezzo è più potente della verità. Alcuni ricercatori lo hanno dimostrato: usando studenti-cavia, psicologi tedeschi hanno confermato che "il gossip ha più effetto di ciò che abbiamo visto con i nostri occhi".

Gli studiosi hanno coinvolto 126 studenti suddivisi in gruppi di nove ragazzi ciascuno, bersagliandoli di pettegolezzi sui giovani degli altri gruppi ed è emerso che le "cavie" tendevano sempre a credere di più alle maldicenze o alle lodi intessute da altri, piuttosto che a ciò che avevano potuto sperimentare di persona o che già sapevano sul conto delle inconsapevoli vittime.

E non è tutto. Secondo la ricerca, i gossip non influenzerebbero solo i giudizi sulle star dello spettacolo, ma inducono anche opinioni e comportamenti della vita comune. "Una recente indagine – spiega il coordinatore della ricerca – ha evidenziato per esempio che due persone su tre credono il gossip una fonte per apprendere nuove cose: non importa se i pettegolezzi alla fine siano veri o meno. Diventano la realtà".

Gli studiosi hanno seguito dall'inizio alla fine il processo di gestazione delle chiacchiere degli studenti e il percorso di trasferimento di queste chiacchiere e i comportamenti conseguenti del fruitore del pettegolezzo. In pratica, ad ogni studente è stata passata una chiacchiera, buona o maligna, su un altro studente e poi gli è stato chiesto se avrebbe avuto voglia o meno di lavorare con la persona oggetto del pettegolezzo.

Non solo, com'era ovvio aspettarsi, i ragazzi hanno tendenzialmente rifiutato di far coppia con coloro sui quali circolavano voci negative, ma è emerso anche che la chiacchiera ha più effetto dell'informazione diretta sulla persona. Il 44% dei partecipanti, infatti, ha cambiato la propria opinione su una persona sotto l'influenza del gossip, anche quando le chiacchiere contraddicevano ciò che avevano visto di persona.

UNITÀ 25

11 (CD2).   H2

● *Mi trovo al Caffè Sandi con Donatella. Come è cambiata la clientela del Suo bar... del tuo bar in questi ultimi anni?*

○ Sì, io ho visto cambiare diverse generazioni, in questi anni, perché i frequentatori più assidui anche, soprattutto la sera, sono i giovani; quindi i giovani nel corso dai 18 ai 25 cambiano perché fanno famiglia e quindi si rinnova sempre la..., essendo un bar abbastanza giovane, si rinnova sempre la clientela. Mentre invece al mattino ci sono gli habituée del posto, che sono persone anziane, persone che non vanno a lavorare, e che quindi vanno al bar per trovare della gente, per chiacchierare e per leggere il giornale, soprattutto. Il giornale è il primo punto di riferimento in un bar, secondo me.

- *Mi puoi dire un po' i vari tipi di caffè che...*
- ○ Il caffè, qui, in Italia...

- *...macchiato...*
- ○ Caffè macchiato, sì. Il caffè per eccellenza è il caffè "giusto", né lungo né corto, né ristretto, comunque fatto con una certa cura, e anche io lo curo abbastanza, il caffè..

- *Le tendenze: l'happy hour, per esempio.*
- ○ L'happy hour è una novità di questi ultimi anni e anche qui ha preso abbastanza piede, si fa soprattutto il venerdì sera e poi è un punto d'incontro di tanta gente, anche da fuori, quindi...

- *...però giovani.*
- ○ Giovani. Solo giovani.
- *Quindi sotto i trent'anni...*
- ○ Ah, sì! Sicuramente i trenta. Anche meno. Dai 18 ai 25, secondo me. ...Soprattutto.
- *Ti piace lavorare in un bar?*
- ○ Beh, non è... il lavoro del bar, di per sé stesso, è bello perché il barista è comunque uno psicologo, perché arrivano tutti lì a riversare i propri problemi. Il barista è uno che sa tutto, che deve ascoltare tutti...

- *...però deve anche essere discreto.*
- ○ Deve essere discreto, non parlare, forse neanche dare giudizi. Ascoltare. Noi abbiamo più clienti maschi, quindi raccontano le loro vicende di casa, con le mogli... Noi sappiamo tutto.

- *Sì? Si aprono, veramente?*
- ○ Alla barista si aprono, anche proprio intimamente, parlano di tutto.

UNITÀ 26

12 (CD2).   D1

Policlino Umberto I, il più grande ospedale italiano, uno dei più grandi d'Europa. Insieme con Giuseppe Scaramuccia, segretario regionale del Tribunale per i diritti del malato e di Cittadinanza Attiva, abbiamo fatto un giro nel nosocomio della capitale nel tentativo di raccontare alcuni dei suoi grandi problemi: carenze strutturali, reparti fatiscenti, troppi ricoveri, mancanza cronica di personale.

- *Qui siamo di fronte al Day Hospital oncologico: e qui questi problemi strutturali e anche igienico-sanitari sono molto evidenti.*
- ○ Esattamente. Qui abbiamo un professore che è tornato

dagli Stati Uniti, no, un oncologo molto importante, ma che è costretto a operare e i malati, come abbiamo visto poco fa, stanno in una saletta, dove fanno la chemioterapia, dove vengono a fare il day-hospital in ambienti assolutamente non adeguati.

- *Qui siamo nel padiglione di chirurgia: nei corridoi ci sono rifiuti, anche pericolosi...*
- ○ Questa sciatteria, e poi questo non è rispetto delle norme, dei protocolli: abbiamo visto come contenitori con sopra scritto "rifiuti pericolosi", "rifiuti ad alto contagio" vengono lasciati abbandonati fuori la porta della prima clinica chirurgica e poi queste cose vengono portate nello stesso ascensore dove vengono trasportate le persone con le barelle. Ecco, questo non va.

- *Questo è uno dei famosi tunnel sotterranei che uniscono i vari padiglioni dell'ospedale. Qui cosa succede?*
- ○ Qui, appunto, passano pazienti, passa biancheria sporca, passano i pasti, passano tutti. Però devo dire, questi tunnel cominciano già a essere poco poco meglio risistemati.

- *Non ci sono rifiuti.*
- ○ Ecco, vediamo che non ci sono rifiuti; già questa è una piccola notizia positiva.

- *È vero che in alcuni reparti manca l'acqua potabile?*
- ○ È vero! C'è stata anche un'inchiesta su questo. Ci sono alcuni padiglioni dove l'acqua ancora è contenuta nei cassonetti di eternit, dove praticamente c'è l'amianto, una cosa molto grave che andrebbe bonificata immediatamente.

- *Un altro problema qui, è quello delle degenze anche inutili: persone tenute ricoverate a lungo, in attesa di un'operazione.*
- ○ Sì, abbiamo molti casi dove, appunto, hanno aspettato chi 20 giorni, chi 25, c'è chi ha superato addirittura il mese prima di subire un intervento programmato. Cioè, io mi chiedo quanti soldi sono stati sprecati nel tener ricoverate qui le persone.

UNITÀ 27

13 (CD2).   E2

- *Questa volta parliamo di sètte, di maghi, e di tutti coloro che attirano in qualche modo con promesse – naturalmente poi per spillare grandi quantità di soldi – con promesse di felicità, di riparazioni, persone evidentemente poco caute, poco attente, o forse particolarmente fragili, pensiamo. Antonio Lojacono, presidente della Società italiana di psicologia, benvenuto a Baobab.*
- ○ Buongiorno.
- *Dottore, le persone che si rivolgono ai maghi, ai car-*

173

tomanti, o che entrano a far parte di determinate sètte, sono persone particolarmente fragili, come stavamo dicendo?

○ Beh, in realtà sì, perché manifestano in qualche modo una paura, se vuole, di crescere, cioè di essere autonomi. Spesso in questa società, piena di sicurezze, diciamo "insicure", questa esigenza di magia si esprime sempre di più; o di magia intesa in senso religioso o di magia, appunto, con i maghi che in qualche modo in pochi secondi possono far guarire o far apparire delle cose che in realtà sono più nella propria testa che nel quotidiano, diciamo.

● *Quindi questa "creduloneria", Lei la vede abbastanza legata con una incapacità di crescere?*

○ Sì: in questa società, come si dice da tempo, senza padre, si cercano padri e dèi un po' dappertutto. Tante volte il mago è molto più, come dire, affascinante, perché fa crescere diciamo immediatamente con la fantasia una situazione irreale, ma che poi in realtà spesso e volentieri è più un'illusione. Quindi, questa situazione anche di mondo virtuale, di computer, di mass media, è molto facile, no, entrare in questo meccanismo compulsivo, no?

● *Senta dottore, vorrei farLe sapere che noi abbiamo fatto un sondaggio, come del resto facciamo tutti i pomeriggi, e la domanda che abbiamo fatto ai nostri ascoltatori era questa: se fossero mai stati da un cartomante. Beh, il 66% dicono di esserci stati.*

○ Sì.

● *Come giudica questa affermazione da parte del nostro pubblico?*

○ Beh, io penso che è legata un po' alla paura della solitudine, secondo me, cioè la paura di non riuscire a entrare in contatto in modo adeguato col proprio io e a viverci bene. Molte persone hanno bisogno appunto di distrarsi con altre cose e allora il mago aiuta, no, è diciamo una buona stampella, per l'illusione. È anche la paura, secondo me, dell'autonomia: in questa società che cambia velocemente si ha molta paura del cambiamento perché in realtà rappresenta l'estremo cambiamento, cioè la paura di morire, no?

UNITÀ 28

14 (CD2).   E1

● *Se tu incontrassi ancora il bambino del tuo film La vita è bella, che cosa gli diresti del mondo che lo circonda?*

○ Il grande filosofo tedesco, Lei lo conosce, Emanuel Kant, no, e che diceva? Diceva questo qua... ha scritto tante cose che ci ha insegnato come si fa a campare – ma una particolarmente ci ha colpito, poetica, che è il sunto di tutte le su' cose – è come si deve vivere. Alla fine, pensando e ripensando, dice: "Vorrei andare con il cielo stellato sopra di me e la legge morale in me". Eh?

Allora, ognuno di voi, quando si presenta – ognuno di noi – a queste cose qua, dovrebbe pensare, gli direi questo al mio bambino: "Ecco, fai che, al momento che tu c'hai questa cosa qua, fai che il cielo stellato stia sopra di te e dentro pensa a qual è in questo momento che devo scegliere – perché è bello scegliere, ci è dato di scegliere una volta ogni tanto, eh c'abbiamo il libero arbitrio, è la cosa più... anche cristiana, più naturale, più bella, che bisogna fare, bisogna presentarsi... – pensiamo, semplicemente: qual è la persona più pulita, più onesta, più brava, più capace, quella che profondamente, senza...". Perché l'abbiamo in prestito, questo mondo, dai nostri figli, non è che ce l'abbiamo in eredità dai nostri padri, ce l'abbiamo in prestito. Allora per i nostri figli, i bambini, gli dobbiamo far trovare una cosa che dire: "Oh, t'abbiamo voluto bene, t'abbiamo amato". Pensiamo allora a chi è la persona più pulita, più bella, capace, che non ci siano ombre e dubbi, profondamente ci dobbiamo guardare e dire: "Eccolo qua, è questa qua". Allora uno è a posto. E allora va con un cielo stellato luminosissimo sopra di sé e una bella legge morale in sé, che s'addormenta tranquillo la notte e sicuro ha fatto un bel futuro al su' figliolo. Io questo gli voglio dire, caro Biagi, e se Lei mi permette, gli do un altro bacio, come se lo dessi a mio figlio, perché io La sento proprio...

● *A Suo padre...*

○ Anche al mi' babbo. Me lo permette quasi a ralentì? E diciamo insieme agli italiani: "Noi vi amiamo!"

● *Noi vi amiamo.*

UNITÀ 29

15 (CD2).   A2

Durante l'impero, il popolo romano contrae l'abitudine, che diviene quasi un bisogno, di recarsi tutti i giorni alle terme e di passarvi la maggior parte del tempo libero.
Già durante la Repubblica i Romani hanno appreso dai Greci l'abitudine di allestire una stanza per il bagno nella loro casa di città o di campagna. Ma bisognerà attendere l'età imperiale per assistere alla diffusione delle terme pubbliche. Nel 33 a.C. Marco Vipsanio Agrippa fa costruire le terme che portano il suo nome, il cui ingresso dovrà essere gratuito per sempre. Altre terme vengono fatte poi costruire da Nerone, Tito, Domiziano, Commodo, Caracalla, Diocleziano (le più grandi) e, in ultimo, Costantino.
Nella tarda età imperiale Roma arriva ad avere ben 11 bagni pubblici (*thermae*) gratuiti e oltre 830 terme private. Esistevano due classi di terme: una più povera, destinata alla popolazione minuta, e una destinata ai ricchi, che erano delle vere e proprie e piccole città all'interno della città. Infatti queste terme non sono solo edifici destinati ai bagni, ma enormi complessi che racchiudono giardini e passeggiate, stadi, saloni, palestre e locali per il massaggio, bibliote-

che e negozi. In questo consiste la vera originalità delle terme romane: la cultura fisica associata alla curiosità intellettuale. Il bagno segue sempre l'esercizio fisico; il bagnante ancora coperto di sudore si sveste in uno degli spogliatoi, quindi entra nei *sudatoria* e in un'atmosfera di vapori surriscaldati arriva la traspirazione; quindi entra nel *calidarium*, dove la temperatura è sempre molto elevata e può strofinarsi la pelle con uno strumento chiamato *strìgile*.

Quando il bagnante è pulito e asciutto si reca nel *tepidarium* per graduare il passaggio di temperatura e finalmente corre a gettarsi nella piscina dell'acqua fredda (*frigidarium*). Dopo il bagno spesso ci si riunisce tra amici nei saloni di conversazione e nei ninfei, o si va a leggere un libro. Sotto Domiziano e Traiano nessun divieto impedisce alle donne di fare il bagno con gli uomini; chi tuttavia non accetta tale promiscuità può recarsi nelle *balneae* (bagni riservati alle donne).

Adriano probabilmente introduce il divieto di fare il bagno assieme, ma poiché la pianta delle terme comporta un unico *tepidarium*, un unico *frigidarium* e un unico *calidarium*, forse tale separazione deve intendersi nel senso che vengono assegnate ore differenti ai bagni degli uomini e ai bagni delle donne. In ogni caso i Romani vanno alle terme sempre nel pomeriggio, dopo aver completato il disbrigo dei propri affari e prima della cena.

UNITÀ 30

16 (CD2).   E2

● Mario Bertolini ha sognato il padre di don Ferdinando, il quale gli ha dato i quattro numeri in presenza di don Ciccio il tabaccaio eh, anch'egli a suo tempo defunto!

○ Aah, ma allora il sogno è di Mario Bertolini!

◆ No!

● Chiaro! Come dice...

◆ No! No, no! Non è suo, scusate! Un momento, fatemi parla'! E se l'avvocato non è al corrente di tutta la situazione non può stabilire le cose. E scusate! Non è suo il sogno: perché questo Mario Bertolini abita la casa dove io abitavo con la buon'anima di mio padre e che io lasciai dopo la sua morte per venire ad abitare qua, perché quella casa mi faceva impressione. È vero? Oh. Mio padre, povero vecchio, credeva di trovare me, in quella camera; non si è accorto invece, che a letto non c'ero io, ma c'era questo Mario Bertolini: infatti non ha detto "Mario, gioca questi numeri", ha detto: "Piccirì, gioca questi numeri", perché mio padre così mi chiamava, è vero, Robe'? Mi chiamava "piccirì", sempre, da quando...

● 'sto diminutivo...

◆ Sì, diminutivo, "Piccirì, veni accà, piccirì!". E poi, posso provare con mille testimoni che papà aveva grande antipatia per questo Mario Bertolini e mai e poi mai gli avrebbe dato una quaterna sicura di 4 milioni, per carità!

○ Scusate, Vostro padre, buon'anima, è apparso in sogno

a Bertolini e gli ha dato i quattro numeri. Dunque, rispettate la volontà del morto, che in fondo ha voluto dare agiatezza anche a Vostra figlia, poiché pare che i due giovani si amino!

◆ Che cosa? Che cosa, che "si amino"...?! Niente affatto! E scusate! Ma come, siete Voi che mi dite "rispettate la volontà del morto", un uomo di chiesa, come Voi, come? Rispettate... Ah, questa è la volontà del morto? Don Raffae', scusate, ma come!? Eh? La buon'anima, eh? La buon'anima, l'avete detto Voi, non l'ho detto io.

○ Sì!

◆ La buon'anima è apparsa in sogno a Bertolini e gli ha dato i numeri sicuri che sono venuti! Uè, numeri difficili, una quaterna proprio precisa: 1, 2, 3 e 4, proprio uno che vuole arricchire a un altro. Dal momento che ci troviamo a parlare di anime, Voi... con Voi se ne può parlare seriamente, perché Voi siete diciamo della partita...

○ Della partita? Che significa, don Ferdinando?

◆ No, siete conoscitore, voglio dire...

○ Conoscitore? Don Ferdina', ma io faccio il prete, non faccio 'u canteriere.

◆ No, voglio dire... voi siete un uomo... pregate sempre, anime sante, cose...

○ Il prete!

◆ E dunque Voi... mi potete dare una spiegazione, io sono ignorante, ecco!

○ Sì, sì, posso dare una spiegazione, giusto.

◆ Voi sapete se io faccio mai mancare le candele e la lampada davanti all'immagine di mio padre, al cimitero. Voi sapete che io, ogni venerdì, vado al cimitero e ci vogliono 500 lire di taxi all'andata e 500 al ritorno. Metteteci 2-300 lire di fiori, eh sì, in media 300 lire, c'è sempre qualche elemosina, qualche cosa, è vero, e sono 800. Tre per otto ventiquattro, sono 2400 lire al mese. Quattro messe al mese! Quattro! Le faccio dire proprio a Voi, a 500 lire l'una, eh, dite la verità, e sono altre 2.000 lire. Metteteci altri incerti, e così sono 6.000 lire al mese... Ogni venerdì! Io non me ne dimentico mai!

○ E fate bene! Ho sempre apprezzato e lodato il Vostro attaccamento verso la buon'anima di Vostro padre!

◆ Oh! Ogni venerdì, 500 lire. Poi vado al cimitero, tutte queste spese, sono 6-7.000 lire al mese che vi ho detto, io spendo per questa funzione. Io faccio conto di non guadagnarli. È stata l'anima di mio padre che è apparsa in sogno a Bertolini?

○ Sì!

◆ Eh... questo mondo dell'aldilà, Don Raffae', esiste sì o no?

○ Certo! E non dovete offenderlo con i Vostri dubbi!

◆ E allora? Quali dubbi, io non ho dubbi. Io no, io. Allora? Ma come, io spendo 6-7.000 lire al mese per messe, lumini, candele, trasporti, fiori, per mio padre defunto... e il defunto, padre legittimo mio, piglia una quaterna sicura di 4 milioni e la porta a un estraneo?! Ma, Don Raffae', fatemi la carità... non è possibile, scusate!!!

UNITÀ 31

17 (CD2). F1

○ *Vogliamo provare a spiegare cos'è il Palio?*

● Sì, è qualcosa di più di uno spettacolo, è qualcosa di più di una festa, o forse è festa nel senso antico del termine, dove la festa è il giorno più importante dell'anno perché la comunità diventa se stessa, anzi ridiventa se stessa e lo riafferma. Nel caso del Palio questa identità viene riaffermata proprio attraverso la rivalità, la rivalità delle contrade di Siena che si combattono e quindi in quel momento la città, come succedeva nelle città antiche, nelle città comunali e signorili, mette in scena tutte le sue linee di frattura, cioè le rivalità fra le arti e le corporazioni, fra i quartieri, fra i diversi luoghi della città; però le ricompone nello stesso tempo, perché queste feste avevano questa caratteristica: erano competizione ma unità nello stesso tempo, e quindi una specie di teatro in cui la comunità mostra a se stessa chi è, ma in questo caso poi, come nel caso del Palio, lo mostra anche agli altri, perché non è un caso che feste come il Palio di Siena poi sono diventate dei veri e propri monumenti all'aria aperta, dei beni culturali che tutti vengono a vedere come si visita un museo.

○ *Ecco, una festa, come dice Lei, ma comunque una situazione che i senesi vivono tutto l'anno, non soltanto il giorno della corsa.*

● Certo, perché la divisione in contrade a Siena effettivamente è il vero motore della struttura sociale, della struttura della città. Non è semplicemente una sopravvivenza del passato, qualcosa che ormai è diventato folklore, no: l'appartenenza alla contrada significa molto per me, è quello che mi dà la mia identità, mi dà i miei amici di quando son bambino, mi dà le mie relazioni di vicinato. Poi tutto... ovviamente tutto questo oggi viene vissuto anche modernamente e quindi si mescola con tutto il resto; però è qualcosa che rimane, esattamente come rimangono in tutti noi le cose che abbiamo da bambini: quello che ci succede nei primi anni di vita è decisivo.

○ *Ecco, come nasce il Palio di Siena e com'è cambiato nel tempo, se è cambiato?*

● Beh, è cambiato poco nel tempo, direi che è una festa che conserva questa struttura dove tutto avviene proprio come dicevo prima attraverso la competizione, la competizione equestre. In questa che poi è città e nello stesso tempo non è città, perché non è un caso che nel campo, nella piazza del Campo di Siena, la piazza che si chiama "il Campo", viene portata la terra.

UNITÀ 32

18 (CD2). F2

● *Agostino Saccà, direttore di Raifiction ha detto che ci*

sono troppe fiction "romano-centriche", alludendo al dialetto romano, ma comunque di dialetto ce n'è abbastanza. Ne vogliamo parlare con Enrico Menduni, docente di Cultura e Formati della TV e della radio all'Università RomaTre, buonasera, professore.

○ Buonasera a tutti.

● *Allora, io dicevo: non c'è tanto Roma, ma c'è anche dell'altro, c'è anche, non so, il siciliano di Camilleri, tanto per dirne una, e vorremmo cercare di capire con il suo aiuto: è bene che ci siano questi dialetti, è bene invece che la televisione parli un buon italiano, come succedeva quando...*

○ Negli anni Sessanta già la televisione parlava con un piccolo accento romanesco che poi insieme al cinema ha contribuito a fare del romanesco la lingua ufficiale italiana, non più il fiorentino, il toscano, l'Accademia della Crusca eccetera eccetera; queste cose le ha già dette Tullio De Mauro molto meglio di me. Dagli anni Sessanta l'italiano con venature romanesche è la lingua nazionale. Punto. La Rai non ha fatto eccezione, è stata anzi una delle battistrada finché non è arrivata la televisione privata che parla in milanese. Ancora oggi le annunciatrici della Mediaset sono generalmente molto più nordiche della Rai. La Rai, punta sul vivo, oppure non so con qualche capostruttura leghista, non lo so, cerca di recuperare, mettendoci qualche ambientazione padana. Non è male, non è male perché non dimentichiamo che anche Camilleri in televisione, o anche *La squadra*, sì, sono vernacoli, ma il tessuto connettivo è sempre la romanità. Cioè sono dialetti siciliani o napoletani mediati da un sostrato romanesco. È bene che siano cose fatte bene e non delle grandi, come si dice in radio, delle grandi fesserie, ecco, mi stava venendo una parola un po' più rude.

● *No, quella che ha detto per la radio va bene. Senta, però questo genere di tendenza, che però non è solamente una tendenza, evidentemente, ormai è una pratica diffusa è anche in ogni altro genere di messaggio, io stavo pensando per esempio alla pubblicità.*

○ No, dunque... Beh, qui non so se sono proprio interamente d'accordo con Lei, perché storicamente, diciamo lo spettacolo nasce a Roma e la pubblicità a Milano, no? Storicamente.

CHIAVI del QUADERNO DEGLI ESERCIZI

UNITÀ 1

1. 1 fare, 2. Invitarla, 3. venire, 4. andare, 5. cambiare, 6. pensare, 7. essere, 8. arrivare, 9. aver almeno fatto, 10. aver cancellato

2. 1. da dimenticare, 2. ad aver imparato, 3. da correggere, 4. da seguire, 5. da restituire, 6. a capirmi

3. 1. larghi, 2. medici, 3. psicologi, 4. lunghi, 5. tedeschi, 6. banchi

4. 1. freschi, 2. manici, 3. cardiologi, 4. sindaci, 5. pratici, 6. farmaci

UNITÀ 2

1. 1. non piglia pesci, 2. i topi ballano, 3. non fa primavera, 4. non morde, 5. che una gallina domani, 6. non si guarda in bocca, 7. ma non il vizio, non fa mai giorno

2. 1. asinelli, 2. tettuccio, 3. sconticino, 4. punticino, 5. ponticello

3. 1. tavolinetto, 2. omaccione, 3. casettina, 4. fiorellino, 5. fogliettino

4. 1. peccato che, 2. Checché, 3. fare sì che, 4. che almeno, 5. Qualora, 6. Strano che

5. 1. Qualsiasi cosa, 2. faccia, 3. ovunque, 4. vada, 5. capisca, 6. A seconda che, 7. io sia, 8. più di quanto, 9. possa, 10. meno di quanto, 11. possa, 12. Basta che, 13. porti, 14. perché, 15 lui sia

UNITÀ 3

1. 1. hanno vista, 2. ho riconosciuti, 3. abbiamo comprati, 4. abbiamo volute, avete prese, 5. ho assaggiato

2. 1. ne, 2. comprate, 3. l', 4. vista, 5. l', 6. dovuta, 7.l', 8. provata, 9. l', 10. comprata, 11. l', 12. presa, 13. le, 14. messe, 15. ne, 16. dimenticata, 17. ne, 18. comprata, 19. mi, 20. detta

3. 1. Uscita, 2. Date/Viste, 3. Fatta, 4. Pagato, 5. Finito, 6. Arrivati

4. 1. Ritrovate, 2. Considerato/Dato/Visto, 3. Messa, 4. Lasciati, 5. Venduti, 6. Spente, 7. Comprate

UNITÀ 4

1. 1. bene, 2. male, 3. buona, 4. miglior, 5. peggior, 6. migliore, 7. meglio

2. 1. migliore, 2. inferiore, 3. massimo, 4. superiore, 5. la più brava/migliore,

3. 1. capoluoghi, 2. capolavori, 3. caporedattrici, 4. lavastoviglie, 5. attaccapanni, 6. soprannomi

4. 1.d, 2.a, 3.e, 4.b, 5.g, 6.f, 7.h, 8.c

UNITÀ 5

1. 1.Toh, 2. Ehi, 3. Mah, 4. Beh, 5. Ah, 6. Uffa

2. 1.b, 2.a, 3.f, 4.c, 5.e, 6.d

2b. 1. Te la spassi, 2. me la passo, 3. Ce la metto tutta, 4. smettila, 5. fregatene, 6. prendermela, 7. ce la faccio, 8. piantarla

3. 1. Vuoi andarci, 2. vorrei andarci, 3. Quando ci andiamo, 4. Potremmo andarci/Ci potremmo andare, 5. posso venirci/ci posso venire, 6. potremmo andarci/ci potremmo andare, 7. ci ho pensato, 8. ci sono mai stata, 9. ci penso, 10. ce l'ho

4. 1. ce ne, 2. ce l'ho, 3. Ce li ho, 4. ce le, 4. ce l'ho, 5. Ce li ha

UNITÀ 6

1. 1. Tutte, 2. qualche, 3. alcuni, 4. altro, 5. ognuno, 6. nessuno, 7. tutti, 8. qualsiasi, 9. uno, 10. qualsiasi, 11. poche, 12. qualche, 13. nessuno, 14. qualsiasi

2. 1. qualsiasi, 2. Qualunque, 3. Chiunque, 4. qualche, tutti, alcuni, 5. qualunque

3a. 1. Comincia a, 2. cerca di, 3. ha proibito di, 4. permetto/permettere di, 5. mi sono abituato a, sei riuscito a

3b. 1. ha convinto a, 2. ricordarmi di, 3. riesco a, 4. Preparatevi a, 5. dubito di, 6. riesci a

4. 1. soffre di, 2. sembrare di, 3. provare ad, 4. prova a, 5. cercare di, 6. evita di, 7. Vai a, 8. riesci a

UNITÀ 7

1a. 1. si sieda, stia in piedi, 2. dimmi, farti problemi, 3. telefonale, vergognarti, 4. Vai piano, Stai attento, 5. vacci, dimenticarti

1b. 1. vacci, 2. dammeli, 3. fateli, 4. falla, 5. diglielo, 6. stacci, 7. andateci, 8. diamogliela, 9. daccela, 10 dimmela

1c. 1. non andarci, 2. non darmeli, 3. non fateli, 4. non farla, 5. non dirglielo, 6. non starci, 7. non andateci, 8. non diamogliela, 9. non darcela, 10. non dirmela

2a. 1. lo aspetti, 2. la faccia, 3. ci vada, 4. gli scriva, 5.ci stia, 6. ce lo dia

2b. 1. non lo aspetti, 2. non la faccia, 3. non ci vada, 4. non gli scriva, 5.non ci stia, 6. non ce lo dia

3a. 1.li, 2. celo, 3. vi, 4. vi, 5. mi, 6. la, 7. le, 8. Lo, 9. le, 10. si, 11. ti, 12. ti, 13. ti, 14. si, 15. ci, 16. ci,

3b. 1. ne, 2. lo, 3. gli, 4. lo, 5. lo, 6. te lo, 7. lo, 8. ne, 9. gliela, 10. la, 11. ne, 12. te lo, 13. ti, 14. l', 15. lo, 16. la/ti, 17. ne, 18. gli

4. Domenica mi sposo con Michele. *L'*ho conosciuto dieci anni fa. Frequentavamo la stessa parrocchia e gli stessi amici. Poi abbiamo cominciato a uscire insieme. Io *lo* amavo moltissimo, invece lui non *mi* amava. Una volta *gli* ho chiesto se avrebbe voluto *sposarmi*/se *mi* avrebbe voluto sposare, ma lui *mi* ha risposto che non *l'*avrebbe mai fatto, con nessuna donna nella sua vita. Allora, per dimenticar*lo* sono andata a Berlino e non *l'*ho più visto per molto tempo. Non *gli* ho mai scritto a e non *gli* ho mai telefonato. È successo però che *lui* ha cominciato a telefonar*mi*. All'inizio non volevo nemmeno veder-*lo*/non *lo* volevo nemmeno vedere. Poi a poco a poco le cose sono cambiate. *Lui* è venuto a trovar-*mi*/*mi* è venuto a trovare a Berlino, *mi* ha corteggia-to e dopo qualche mese *mi* ha chiesto di sposar*lo*. Io ho accettato di diventare sua moglie e spero di fare con *lui* una bellissima famiglia.

UNITÀ 8

1a. 1. a; 2. c; 3. f; 4. g; 5. b; 6. d; 7. e

1b. Risposte libere

2. 1. sarebbe, 2. bisognerebbe, 3. vorrebbero, 4. sareb-be, 5. farebbe, 6. potremmo

3. 1. tua, mio, 2. Sua, mio, 3. Suoi, i miei

4. 1. propri, 2. propria, 3. propria, 4. proprio, 5. propri, 6. propria, 7. propri, 8. propria

UNITÀ 9

1. 1. di cui, 2. a cui/cui, 3. da cui, 4. in cui, 5. con cui, 6. su cui, 7. tra cui, 8. per cui/in cui

2. 1. per la quale, 2. al quale, 3. ai quali, 4. alle quali, 5. nel quale, 6. sul quale

3. 3. Il biglietto aereo è stato prenotato, 5. La data della riunione è stata spostata, 6. L'incontro con i sindacati è stato fissato, 7. Il dottor De Rossi è stato convocato per le 10, 8. Le raccomandate sono state spedite, 10. Le fotocopie del progetto sono state preparate

4. 1. Le proposte del Ministro non sono state accettate dalle parti sociali, 2. Il Ministro allora ha proposto misure alternative che andranno esaminate/dovranno essere esaminate dai sindacati, 3. Le fasi della tratta-tiva saranno/verranno seguite da un rappresentante del Ministro, 4. Le tappe verso la liberalizzazione del mercato del lavoro saranno/verranno discusse nel prossimo incontro, 5. Anche la detassazione degli straordinari sarà/verrà messa all'ordine del giorno, 6. Le imprese che danno lavoro alle donne andranno incentivate/bisognerà che siano incentivate

5. 1. va riparata/deve essere riparata, 2. sarebbe stato licenziato, 3. venga/sia penalizzato, 4. sarebbero state accettate, 5. fosse stato convocato, 6. fossero/venissero pagate

UNITÀ 10

1. 1. una certa età, 2. agente segreto, 3. bella figura, 4. brava ragazza, 5. bella presenza, 6. sangue freddo, 7. brutta piega, 8. pari opportunità

2. 1. i piedi gelati, 2. posto delizioso, panorama magnifico/magnifico panorama, 3. naturale simpa-

tia, 4. mezza età, 5. primo colpo

3. 1. era nato, 2. aveva abbandonato, 3. aveva trovato, 4. aveva cresciuto, 5. aveva imparato, 6. era diven-tato, 7. aveva finito, 8. andava, 9. insegnavano, 10. trasformava, 11. era diventato, 12. voleva vedere, 13. aveva viaggiato, 14. amava, 15. chiedeva, 16. avevano visto, 17. avevano provato, 18. era stata usata, 19. era stata danneggiata, 20. aveva accettato

4. 1. era nato - c) aveva chiamato, 2. aveva sentito - f) aveva voluto, 3. aveva deciso - a), 4. aveva tentato - e) si era comportato, 5. - d) avevano usato, 6. - b) avevano deciso

UNITÀ 11

1. 1. ne, 2. li, 3. li, 4. li, 5. l', 6. ne, 7. ne, 8. li, 9. Le

2. 1. ne, lo, li, 2. ne, li, 3. la. 4. ne, 5. l', lo, 6. ne, l', 7. lo, ne

3. 1. hanno detto, aveva aperto, 2. avrò finito, 3. ti sei lau-reata, 4. ascoltava, 5. sapevo, ha creduto, 6. inviterò

4. Risposte libere

UNITÀ 12

1. 1. per, 2. dal, 3. alle, 4. dai, 5. ai, 6. di, 7. per la, 8. per la, 9. sulla, 10. di, 11. delle, 12. per, 13. agli, 14. ai, 15. da, 16. alla, 17. dai, 18. ai, 19. nel, 20. nella, 21. dell', 22. da, 23. in, 24. di

2. 1. 1) a, 2) a, 3) di, 4) con, 5) da, 6) in, 7) con, 8) a, 9) a; 2. 1) a, 2) di, 3) al, 4) in, 5) da, 6) per; 3. 1) Tra/Fra, 2) a, 3) in, 4) di; 4. 1) Nella, 2) alle/sulle, 3) delle, 4) dai, 5) nella; 5. 1) tra gli, 2) degli, 3) alle; 6. 1) al, 2) allo, 3) nelle

3. basso/abbassare, arma/disarmare, aspro/inasprire, adatto/disadattare, bello/abbellire, dolce/addolcire, velo/svelare, fetta/affettare, fumo/sfumare, gusto/disgustare, pezzetto/spezzettare, piacere/dispiacere, rotondo/arrotondare, vero/avverarsi, zero/azzerare

4. 1. ho disfatto, 2. smonteremo, 3. avrebbe accompa-gnato/a, 4. disperdano, 5. ha diseredato, 6. svelerà, 7. arrossisce, 8. è sfuggito, 9. attirano, 10. si dispe-rerebbero, 11. scongeli, 12. incrostata

UNITÀ 13

1. A da 1) a 6): ultra; B da 1) a 9): super, C 1) e 2): vice, D da 1) a 5): contro

2. *Orizzontali*: 1. ultraccessoriata, 3. controluce, 4. vi-cesindaco, 5. superaffollato, 6. viceconsole; *Verti-cali*: 1. ultrasensibile, 2. controcorrente

3. 1. a, 2. b, 3. a, 4. a, 5. a, 6. b, 7. c, 8. a, 9. c

4a. 1. anzi, 2. addirittura, 3. Addirittura, 4. anzi, 5. anzi, 6. addirittura

4b. 1, mica, 2. Magari, 3. mica, 4. mica, 5. magari

UNITÀ 14

1. 1. Guarda, 2. piuttosto, 3. tuttavia, 4. ma, 5. Ascolta,

6. tuttavia

2. 1 - c. bensì, 2 - b. eppure, 3 Ecco - d, 4 - e. eppure, 5 - f. eppure, 6 Ecco - a

3a. 1. stavo per , 2. Stavo per, 3. stava per, 4. sta per, 5. stesse per, 6. stiano per

3b. 1. stavo per, 2. sto per, 3. stavo/stava per, 4. stavo per, 5. stesse per, 6. Stavo per

4. 1. Credo che stia per uscire, 2. Clara sta per laurearsi, 3. Il supermercato sta per aprire, 4. La Ferrari stava per vincere, 5. Qualcuno stava per entrare nella casa di fronte, 6. L'autunno sta per cominciare

UNITÀ 15

1. 1. sia, 2. chieda, 3. sia, 4. abbia, 5. lavi, 6. sia

2. *1.* 1) Malgrado/Benché, 2) sia, *2.* 1) affinché, 2) sia, 3) siano, *3.* 1) Sebbene/Benché, 2) abbiano, 3) pensi, *4.* 1) abbia, 2) nonostante, *5.* 1) purché, 2) conceda, 6. 1) benché, 2) abbia/abbia avuto, *7.* 1) Nel caso in cui, 2) rimanessi, *8.* 1) a patto che/a condizione che, 2) prometta

3. 1 - d. si possa, 2 ti fossi licenziato - a, 3 - e. andassi, intraprendessi, 4 - f. sapesse, 5 andasse - c, 6 - g. prendano, 7 - b. abbia lavorato

4. 1. rifarei, 2. avessi, 3. avrebbe dato, 4. avrei guadagnato, 5. avrei avuto, 6. saresti, 7. potrebbero, 8. sia

UNITÀ 16

1. 1. fu, 2. apparvero, 3. fu, 4. influì, 5. fu , 6. sorsero, 7. si installarono, 8. aprirono, 9. furono costituite, 10. permise, 11. si specializzarono, 12. comparvero, 13. portarono, 14. resero, 15. si ammodernarono, 16. arrivò, 17. sostituirono

2. 1. vidi, mi accorsi, 2. conobbe, 3. presero, stettero, 4. seppi, rimasi, 5. fu, tradussi, 6. scrissi, pubblicai

3. 1. autunnale, 2. stradale, 3. liceale, 4. elementare, 5. solare, 6. popolare, 7. amabile, 8. fabbricabile, 9. pepato, 10. garbata

4. 1. razionale, 2. matrimoniale, 3. credente, 4. amabile, rispettabile, 5. affidabile, 6. mondana

UNITÀ 17

1. 1. avrebbe ammesso, 2. ho chiuso, 3. abbia letto, 4. accetterà, 5. aveva rifiutato, 6. avresti rotto

2a. 1. faresti/avresti fatto, fossi/fossi stato, 2. avevamo sospettato, volesse, 3. avevi detto, avresti portato, 4. è successo, 5. avessi potuto, 6. abbia perdonato

2b. 1. avremmo trovato, 2. fosse, 3. avrebbe visitato, 4. abbia capito, 5. piaccia, 6. ce l'avrebbe fatta

3. 1. ma, 2. né, né, 3. o, 4. quindi, 5. anche, o, 6. Neanche, 7. siccome, 8. benché

4. 1. anche se, 2. prima che, 3. a patto che, 4. anche se, 5. Poiché, 6. come se, 7. perciò, 8. a meno che

UNITÀ 18

1. 1. (Tutti) coloro che, 2. colei che, 3. coloro che, 4. colui che, 5. Ciò che, 6. quello che

2. 1. Ciò che, 2. colui che, 3. coloro che, 4. colei che, 5. ciò che/quello che

3. 1. g, 2. h, 3. b, 4. a, 5. e, 6. d, 7. c, 8. f

3a. 1. Il fronte, 2. Il moto, 3. il capitale, 4. un fine, 5. una lama

4. 1. M, 2. M, 3. **M** F, 4. M **F**, 5. M F, M, 6. M **F**

UNITÀ 19

1. 1. Claudia domani terrà una conferenza in inglese all'università, 2. Io volerò per la prima volta solamente se tu vorrai venire con me, 3. Dopodomani noi sottoporremo i risultati alla commissione, 4. Giovanna e Simona berranno spumante il giorno della loro laurea, 5. Il musicista comporrà una sinfonia per l'inaugurazione dell'Expo, 6. Il direttore rimarrà in vacanza fino a lunedì

2. 1. Noi tradurremo l'articolo il prima possibile, 2. Tu otterrai il visto la settimana prossima, 3. Sandra verrà a Milano fra tre mesi, 4. Se vorrete, terremo la nonna fino alla fine del mese, 5. Sono sicura che tu farai megli di me, 6. Sabato darò il regalo a Cinzia

3a. 1. Si parla, 2. si sa, 3. si tenda, 4. si definisca, 5. si resta, 6. si sapesse

3b. 1. ci si informa, 2. si vuole, 3. si va, 4. si deve, 5. si può, 6. si è, 7. si è, 8. Ci si informa, 9. prepararsi, 10. aprirsi, 11. ci si trasferisce

3. 1. si è, 2. ci si adatta, 3. Si cambia, 4. si cerca, 5. ci si irrita, 6. si vive, 7. si diventa, 8. si decide, 9. ci si deve riabituare, 10. si nota

UNITÀ 20

1. 1. hanno deciso, 2. aveva/ha escluso, 3. ha perso, hai viste, 4. si sia offesa, 5. si era mossa, 6. avreste risolto

2. 1. ho distrutta, 2. Avevi espresso, 3. aveva promesso, 4. avesse corso, 5. fosse dipeso, 6. ha concesso

3. Se avessi usato il forno alla giusta temperatura, avrei risparmiato energia, 2. Se aveste fatto controllare la caldaia, non vi sarebbe arrivata una bolletta salatissima, 3. Se non mi fossi dimenticato di spegnere il riscaldamento, non avrei dovuto pagare inutilmente per tutto il periodo di Natale, 4. Se non spegniamo il led della tv, consumeremo energia inutilmente, 5. Se sostituissi la vecchia lavatrice con la nuova, risparmieresti energia, 6. Se aveste installato i pannelli solari, adesso avreste accesso agli incentivi statali

4. 1. seguisse, si dovrebbe, 2. richiedessimo/avessimo richiesto, stanzierebbe/avrebbe stanziati, 3. ricavasse, sarebbe, assicurino, 4. guardassero, potrebbero

UNITÀ 21

1. 1. coloranti, conservanti, 2. pesante, 3. ignorante, 4. accecante, 5. ubbidienti, 6. seducente
2. 1. seguente, 2. agghiacciante, 3. impressionante, 4. affascinante, 5. conveniente, 6. assorbente
3a. 1. accettata, 2. prese, 3. assunta, 4. acquistati, 5. fatto, 6. annaffiate
3b. 1. realizzato, 2. dipinti, 3. allagata, 4. allegato, 5. affittati, 6. cucinate
3. 1. provenienti, 2. contraffatti, 3. fatta, 4. infamante, 5. allarmanti, 6. prese, 7. deludente, 8. fiorente

UNITÀ 22

1. 1. stavamo seguendo, 2. starà bruciando, 3. stavo sognando, 4. si sta evolvendo, 5. stavo iniziando
2. 1. stai fumando, 2. sto leggendo, 3. sta preparando/sta cucinando, 4. stesse guardando, 5. stava piovendo, 6. sta parlando
3a. 1. si facesse pagare, 2. ha fatto fare, 3. si faceva fare/si è fatta fare, 4. Abbiamo fatto fare, 5. ti facessi fare, 5. facciamo fare
3b. 1. si facesse dare, 2. fatti aiutare, 3. fattelo dire, 4. ti facessi accompagnare, 5. ti faccia regalare, 6. si facessero arredare/si sarebbero fatti arredare
4. 1. fagli prendere, 2. fargli fare, 3. fallo uscire, 4. fagli fare, 5. fagli controllare, 6. fargli fare, 7. farti rilasciare

UNITÀ 23

1. *Risposte suggerite*: 1. *Alessandro*: papà, voglio suonare il piano! *Papà*: no, meglio il violino: non sarei in grado di scaraventare il piano dalla finestra, 2. Potrai suonare il tamburo alle nove e mezza!, 3. Il comandante ha chiesto se fossero atterrati e se poteva aprire gli occhi, 4. Carlotta aveva detto al marito che le sembrava di sentire una voce che diceva che quella sera avrebbero cenato fuori, 5. Luisa aveva detto a Carlo che non era necessario che lui le chiedesse scusa, a meno che non desiderasse continuare a vivere in quella casa
2. 1. Anna ha chiesto a Sandra se fosse italiana, 2. Dino ha domandato a Maria se voleva/volesse cenare insieme a lui quella sera, 3. Stefania ha chiesto ai cugini se fossero mai andati a Torino, 4. Sara ha domandato a Rebecca se avesse/aveva telefonato al dottore, 5. Lino mi chiese quanto avessi pagato il biglietto per il treno Bari-Napoli
3. *Riposta suggerita*: Andrea, oggi ho telefonato all'albergo. Quando ho detto che volevo cambiare la prenotazione, il receptionist mi ha chiesto quando l'avevo fatta e io ho risposto di averla fatta il martedì precedente. Allora lui mi ha chiesto se avessi telefonato o spedito un'e-mail e io ho rispo-

sto che avevo mandato un'e-mail. Lui l'ha trovata e ha chiesto cosa volevo/volessi cambiare, al che io ho risposto che volevo cambiare il periodo e fare dal 10 al 20 di agosto. Però lui mi ha risposto che erano al completo fino al 20 e mi ha chiesto se volevo/volessi che controllasse se ci fosse posto dopo, ma ho risposto di no, che non faceva niente e che mi sarei organizzata per il periodo che avevo richiesto
4. 1. e, 2. a, 3. f, 4. b, 5. d

UNITÀ 24

1. 1. ma, 2. però, 3. oppure, 4. invece, 5. mentre, 6. quindi
2. 1. frase corretta, 2. però, 3. Mentre, 4. però, 5. frase corretta, 6. invece/mentre
3. 1. nessuno, 2. Ognuno, 3. alcun, 4. ogni, 5. nessuno
4. 1. Tutte le volte che la vedo...., 2. Non c'è alcun motivo di aver paura, signora, ogni cosa andrà bene, 3. Tutti abbiamo qualcosa da nascondere..., 4. Non avevamo nessuna intenzione di...., 5. Dovete catalogare ciascun libro per...
5. 1. Mentre, 2. tutti, 3. ognuno, 4. oppure, 5. però, 6. alcuni, 7. Mentre, 8. alcune, 9. qualcuno, 10. ogni

UNITÀ 25

1. 1. va consumato, 2. frase corretta, 3. fu lasciato, 4. sono fatti, 5. non è stato
2. 1. fu comprato, 2. vennero scritte, 3. furono rapinate, 4. frase corretta, 5. non è stata apprezzata
3. 1. va, 2. viene, 3. viene, 4. vanno, 5. viene, 6. va
4. a. 1. da, 2. da, 3. di, 4. di, 5. di; b. 1. al, 2. Al, 3. Nel/Al, 4. Nella, 5. all'; c. 1. per, 2. a/per, 3. per, 4. a/per, 5. Per
5. 1. va versata, 2. va messo, 3. da, 4. va posta, 5. a, 6. viene spinta, 7. nella, 8. per, 9. venire servito, 10. va riempito, 11. va spento, 12. venga rimescolato, 13. per

UNITÀ 26

1. 1. Noi ieri ci siamo fermati a fare colazione in un bar, 2. Da quanto tempo tu e Laura vi conoscete?, 3. Ieri noi ci siamo arrabbiati con nostro figlio, 4. Non credevo che tu ti incontrassi con Anna ogni sera, 5. Due anni fa Massimo si è rotto un piede
2. 1. assicurati, 2. Ti sei ricordato, 3. ci siamo parlati, 4. Si è rotta, 5. ti sei guardata, 6. Vi siete riposati
3a. 1. P, 2. I, R, 3. P, 4. I, R, 5. I, 6. R
3b. *Si* impersonale: si deve fare, si sia conseguito, si deve fare, si deve fare; *Si* riflessivo: si trasferisce, si possono presentare, si può iscrivere, rivolgersi

UNITÀ 27

1. 1. Giovanna insegna male, 2. Federico guida lenta-

mente, 3. Luigi studia costantemente, 4. Wanda inganna abilmente, 5. Guido cucina molto bene

2. 1. abbastanza, 2. certamente, 3. spesso, 4. troppo, 5. poco

3. 1. Me li compri Lei, 2.Gliela porti Lei, 3. Glielo compri Lei, 4. Glielo passi Lei, 5. Glielo dica Lei, 6. Me lo compri Lei

4. a. 1. Si sdrai, 2. Stia, spenga, 3. Mi faccia, 4. Sia, 5. Dica, 6. Mi porti; **b.** 1. Mi dia, 2. Si rilassi, abbia, 3. mi traduca, 4. lo guardi, mi dica, 5. spedisca

UNITÀ 28

1. 1. Ho dovuto, 2. è passato, 3. è migliorata, 4. è cambiato, 5. ha trascorso, 6. ha scattato

2a. 1. è finita, 2. è invecchiata, 3. hai finito, 4. è corsa, 5. è evaso, 6. ha corso

2b. 1. sono iniziati, 2. sono aumentati, 3. ha iniziato, 4. ho evaso, 5. si è arricchito, 6. ha aumentato

3. 1. appunto, 2. di corsa, 3. per fortuna, 4. A proposito, 5. Quasi quasi, 6. Appunto, 7. a proposito

4. 1. quasi quasi, 2. Chissà mai, 3. Appunto, 4. A proposito, 5. senza dubbio, 6. A proposito

UNITÀ 29

1. 1. Acquistando, 2. Facendo, 3. Continuando, 4. Uscendo, 5. Stando così le cose

2. 1. Poiché ho dimenticato, 2. Dopo aver finito, 3. Anche se ha vissuto, 4. Dopo aver finito, 5. Poiché sono stata, 6. Siccome/Poiché non potevo

3. 1. ebbe sentito, corse, 2. dissi, ebbero finito, 3. avemmo cenato, prendemmo, 4. ebbe conquistato, tornò, 5. ebbi cucinato, lavai, 6. trovò, fecero/ebbero fatto

4. 1. è situato, 2. iniziò, 3. fu/venne finanziata, 4. si trovava, 5. fu/venne ricoperto, 6. aveva usurpato, 7. fece, 8. bonificò, 9. fece, 10. vide, 11. ebbe aggiunto, 12. fu/venne inaugurato, 13. operò, 14. fu

UNITÀ 30

1a. 1. c, 2. a, 3. b, 4. a, 5. c, 6. b, 7. a, 8. a

1b. 1. uccellaccio, 2. macchinina, 3. donnone, 4. scarpina, 5. alberello, 6. bottiglione

2. *Risposte suggerite*: 1. la porta d'entrata di un palazzo o di una casa, 2. lo spazio espositivo di un negozio, 3. la calzatura che si usa per sciare, 4. un'altura sotto i 500 metri di altezza, 5. il dispositivo acustico che si aziona per chiedere di entrare in un edificio, 6. il testo all'interno della "nuvoletta" che compare sopra i protagonisti di un racconto illustrato, 7. un grosso uccello da cortile di origine americana, 8. il ripiano che separa il pubblico da impiegati o venditori

3. 1. tournée, 2. città, 3. dopoguerra, 4. verve, 5.

gestualità, 6. spontaneità, 7. vitalità, 8. metà, 9. realtà, 10. cinema

4. 1. la, interessante, 2. la, recente, 3. la, vecchia, 4. la tua infinita, 5. le molte, 6. il tuo, 7. il nostro, 8. il, bellissimo

UNITÀ 31

1. 1. f, 2. a, 3. b, 4. d, 5. c, 6. e

2. 1. f, 2. a, 3. d, 4. c, 5. e, 6. b

3. 1. scatolame, 2. della squadra, 3. alla classe, 4. al bosco, 5. dalla giuria, 6. di pubblico

4. 1. arcipelago: l'insieme delle isole, 2. complesso: l'insieme di musicisti, 3. risma: l'insieme di fogli di carta, 4. dozzina: dodici oggetti o persone, 5. coppia: due persone, 6. pinacoteca: insieme di quadri in uno stesso spazio

4b. 1. che, 2. al che, 3. il che, 4. che, 5. dal che
Nome collettivo: 1. corteo: insieme di persone che sfilano nel corso di una cerimonia o di una festa, 2. famiglia: insieme di persone unite da rapporto di parentela, 3. esercito: insieme di soldati, 4. quartiere: insieme di edifici in una stessa area urbana, 5. pubblico: insieme di persone che assistono ad un evento

UNITÀ 32

1. 1. disaccordo, 2. intollerante, 3. irreale, 4. inadeguato, 5. irrazionale

2. 1. inaccessibile, 2. inaccettabile, 3. irregolare, 4. inespressivo, 5. disabitato, 6. asociale

3. 1. La madre ha detto a Lucia di buttare via tutte quelle bottiglie di vetro, quando sarebbe uscita, 2. Angela ha chiesto di passarle il sale, 3. I giovani si chiedevano che prospettive di lavoro avrebbero avuto negli anni successivi, 4. Piero ha detto che ieri non si sentiva bene, 5. Cristiano ha chiesto a Silvia se quel giorno voleva andare a cena con lui, 6. Luca ha detto alla signora di sedersi al suo posto

4. 1. Corrado mi ha detto che mi vedeva un po' giù e mi ha chiesto se ci fossero problemi, 2. Antonio chiese a Ilaria se sarebbe voluta andare a vivere con lui quando la casa sarebbe finita, 3. Quando seppe che Andrea aveva dei problemi, Roberto chiese se si trattasse di una questione di soldi, 4. Mio padre mi disse di dargli il numero di cellulare di Stefania, 5. Corrado disse a Laura di vestirsi in fretta perché erano in ritardo, 6. Sua madre gridò di andare dal barbiere perché non poteva più vederlo con quei capelli così lunghi

1° Test di verifica

1 Esami

1. mandare all'aria, 2. in precedenza, 3. marinare la

scuola, 4. fallimento, 5. sostenuto, 6. eccessivo, 7. materie, 8. laurea, 9. ripasso, 10. sedentaria

2 Animali domestici
1   1. *Da sinistra a destra*: volpe, tartaruga, asino, elefante, pecora
2   1. acceleratore, 2. taglia, 3. Neanche, 4. avviso, 5. tasca

3 Spendaccioni
1   1. farmaco, 2. acquistare, 3. necessità, 4. riottenere, 5. nascondere
2   1. era la verde, 2. Quasi fosse, 3. ha ripreso conoscenza, 4. in balia, 5. farsi gioco

4 No alla tv!
1   1. zapping, 2. apparire, 3. telespettatori, 4. puntata, 5. teledipendenti
2   1. staccare la spina, 2. in onda, 3. presa di posizione, 4. semmai, 5. infima

2° Test di verifica

5 Favole al telefono
1   1. ostinato, 2. soglia, 3. scodinzolare, 4. ho imboccato
2   1. favola, 2. principe, 3. raggi, 4. galleria, 5. rami, 6. camminato

6 La scienza della buonanotte
1   1. dubbi, 2. disturbo, 3. reazione, 4. mancanza, 5. contributo
2   1. dorme come un sasso, 2. abbassate la guardia, 3. a letto con le galline, 4. casco dal sonno, 5. chi dorme non piglia pesci

7 Uomini e donne
1   1. e tondo, 2. genere, 3. in faccia, 4. che fare, 5. i costi
2   1. comportamento, 2. paragone, 3. conferma, 4. giudizio, 5. dimostrazione

8 Figli... a vita
1   1. gode di, 2. va/andrà a finire, 3. Pur essendo, 4. andando a ruba, 5. in grado di
2   1. professionale, 2. infernale, 3. conforto, 4. specializzazione, 5. piacevole

3° Test di verifica

9 Lavoro
1   1. stipendio, 2. esperienza, 3. ditta, 4. promossa, 5. filiali, 6. colleghe
2   1. retribuzione, 2. mestiere, 3. accesso, 4. denaro

10 Novecento
1   1. tramonto, 2. gigantesco, 3. ragione, 4. semplice, 5. uguale
2   1. andare alla ventura, 2. odore, 3. a un pelo, 4. addosso, 5. è scivolato

11 Telefonini
1   1. bolletta, 2. caricare, 3. squillo, 4. arco, 5. polso
2   1. telefonata, 2. Inizialmente, 3. eccessivo, 4. lamentarti, 5. dipendenza

12 Goal
1   1. equitazione, 2. pugilato, 3. scherma, 4. nuoto, 5. salto in alto (atletica leggera)
2   1. tifoso, 2. palestra, 3. allenamenti, 4. classifica, 5. arbitro

4° Test di verifica

13 Lo zodiaco non si tocca!
1. ambiziosa, 2. pessimista, 3. calmo, 4. puntuale, 5. distratta, 6. testardo, 7. amichevole, 8. modesto, 9. romantico, 10. affascinante

14 Qualcosa era successo
1   1. scompartimento, 2. sconti, 3. fermento, 4. biglietteria, 5. sguardi
2   1. prendere, 2. inconsueta, 3. convalidando, 4. bensì, 5. viavai

15 Come è ingiusta la parità
1   1. miei panni, 2. a memoria, 3. in maternità, 4. la strada, 5. gonfie vele
2   1. parità, 2. proteggere, 3. impedire, 4. severo, 5. crescere

16 Storia della pasta
1   1. mestolo, 2. rigatoni, 3. tortellini, 4. pentola, 5. mozzarella
2   1. luogo, 2. grattugiato, 3. sbucciare, 4. ripieno, 5. farina

5° Test di verifica

17 Non approfondire
1   1. parodia, 2. a patto che, 3. viziato, 4. fulmine a ciel sereno, 5. a malapena, 6. Benché, 7. al settimo cielo, 8. intenzione, 9. per via di, 10. esigente

18 Computer
1   1. allegati, 2. stampante, 3. definizione, 4. ricaricabile, 5. ammissione
2   1. niente, 2. superfluo, 3. scaricare, 4. buon, 5. inoltrare

19 Emigrazione

1 1. sofferenze, 2. meridionale, 3. crescita, 4. partenza, 5. valutazione
2 1. costante, 2. vantaggio, 3. residenti, 4. notevole, 5. extracomunitari

20 Stop alle auto

1. rotta, 2. inquinati, 3. sprecare, 4. differenziata, 5. scontato, 6. estinzione, 7. massiccio, 8. impatto, 9. ambientalista, 10. effetto

6° Test di verifica

21 Il falso a tavola

1. mettere, 2. scandalizzare, 3. porzioni, 4. prelibatezze, 5. si sono concretizzati
1. stagionatura, 2. buongustaio, 3. nutriente, 4. grassa, 5. acerbe

22 Che fine ha fatto l'amicizia?

1 1. complicato, 2. allargare, 3. vietare, 4. indispensabile, 5. libertà
2 1. settimanali, 2. adolescenza, 3. ti fai/farai aiutare, 4. biennale, 5. dare una mano

23 Dottor Niù

1. prestito, 2. si dà per vinto, 3. dare nell'occhio, 4. esibire, 5. pancia, 6. obiettare, 7. si sono dati da fare, 8. l'indomani, 9. aveva ingoiato, 10. hanno prosciugato

24 Lo scheletro nell'armadio

1 1. popolare, 2. violavano, 3. intervista, 4. curiosità, 5. personaggio
2 1. ficcare il naso, 2. monitor, 3. leader, 4. dato retta, 5. tagliato fuori

7° Test di verifica

25 Pasticceria Grazia

1 1. stretto, 2. disagio, 3. banale, 4. impulso, 5. constatato
2 1. in effetti, 2. Per quanto, 3. in pubblico, 4. in comune, 5. danno fastidio

26 Medicina alternativa

1. ricetta, 2. raffreddore, 3. fisioterapia, 4. ambulanza, 5. punti, 6. pediatra, 7. ricovero, 8. veterinario, 9. dentista, 10. febbre

27 Come arricchirsi sul dolore altrui

1. a caccia di, 2. carismatico, 3. le bugie hanno le gambe corte, 4. trucchi, 5. pretendere, 6. proficua, 7. è finito al fresco, 8. qualsiasi, 9. credulità, 10. lieta

28 Cinema italiano

1 1. secondario, 2. arrivare, 3. sconosciuto, 4. stupire, 5. memorabile
2 1. interpretazione, 2. sale, 3. partecipazione, 4. consacrazione, 5. incassi

8° Test di verifica

29 Roma antica

1 1. i mosaici di Pompei, 2. la statua di Augusto, 3. l'arco di Costantino, 4. le terme di Caracalla
2 1. ultimatum, 2. anello, 3. proprietà, 4. così, 5. cure, 6. referendum

30 Il teatro... napoletano

1 1. si è messo in testa, 2. ha messo al mondo, 3. ha dato vita, 4. metti/mettete in dubbio, 5. ha fatto le corna
2 1.sipario, 2. debuttò, 3. autore, 4. commedie, 5. atto

31 Sagre e feste

1. finte, 2. ha preso le distanze, 3. prendere il toro per le corna, 4. medievali, 5. galleggianti, 6. gara, 7. intatta, 8. ricostruzione, 9. in testa, 10. rinomati

32 Montalbano

1 1. delinquente, 2. incensurato, 3. addetto, 4. morte, 5. introversa
2 1. uccidere, 2. macchiare, 3. prendere, 4. persuadere, 5. interessato

1° Ripasso grammaticale (unità 1-8)

1. 1. vadano, 2. ha prestato, 3. pensiate, 4. sapessi, 5. aver parlato, 6. abbia fatto, 7. aver letto, 8. dire
2. 1. di, 2. Sembrerebbe/Sembra, 3. Introdotti, 4. per, 5. ad, 6. sarebbero, 7. soffrirerebbe, 8. Dovuta, 9. utilizzato, 10. Usato, 11. di
3. 1. peggiore, 2. esteriore, 3. ottimo, migliori, 4. inferiore, 5. massime, pessimo, 6. superiore, 7. maggiore, minore, 8. massimo, minima
4. 1. Se l'è filata, 2. ce l'ho, 3. ce l'ho fatta, 4. andarsene, 5. me la sarei cavata, 6. me la sento, 7. ne ho approfittato, 8. essermene fregato
5. 1. prepàrati, 2. vacci, 3. Fa', 4. Imponiti, 5. chiedigli, 6. Costringilo, 7. evitale, 8. Impara, 9. avere, 10. farti, 11. comprali, 12. evitali

2° Ripasso grammaticale (unità 9-16)

1. 1. di cui/dei quali, 2. con cui/con i quali, 3. da cui/dai quali, 4. per cui/per il quale, 5. su cui/sulle quali, 6. a cui/alla quale
2. 1. ne, 2. ci, 3. ne, 4. ne, 5. ne, ci, 6. ne, ci
3. 1. avevamo deciso, 2. incoraggiavano, 3. aveva desiderato, 4. preoccupava, sorella minore, futura

cognata, maniera provocante, 5. abbracciava, 6. è arrivata, 7. interpretava, senso malizioso, 8. ha chiamato, 9. ha chiesto, 10. sospettavo, 11. ha svelato, sentimento forte, desiderio intenso, 12. riuscivo, 13. salivo, 14. ha detto, 15. sono rimasto, 16. ho trovato, futuro suocero, 17. aspettava, 18. ha abbracciato, piccola prova, 19. potevamo, marito migliore

4. 1. La partita sta per iniziare, 2. L'aeroplano stava per decollare, 3. Penso che tuo padre stia per arrivare, 4. È vero che state per partire, 5. stava per dirti, 6. Il cane ha aggredito i ladri mentre stavano per entrare in casa

5. 1. non si scorda, 2. mica, 3. vi ricordereste, 4. è capitato, 5. avete chiamato, 6. potrebbe, 7. sembravano, 8. sarà, 9. tuttavia, 10. magari, 11. vi siete accorti, 12. Eppure, 13. siano passati, 14. rimpiange, 15. continua, 16. piuttosto, 17. sia, 18. anzi, 19. è/viene confermato, 20. continua

6. 1. mondiale, 2. rinnovabile, 3. lineare, 4. splendente, 5. accessoriato, 6. occasionale

3° Ripasso grammaticale (unità 17-24)

1. 1. è successo, 2. userò, 3. ho organizzato, 4. è scesa, 5. potrò, 6. essere, 7. è stato soppresso, 8. confermano, 9. partirà, 10. possono, 11. è mossa, 12. cercasse, 13. aveva avuto, 14. può, 15. ho perso

2. 1. - perciò - c, 2. - a meno che - a, 3. - anzi - b, 4. - perciò - f, 5. - sebbene - l, 6. - anziché - d, 7. - perché - i, 8. - come se - e, 9. - Poiché - h, 10. - sempre che - g

3. 1. Se si desse più valore all'amicizia, ci sentiremmo meno soli/ci si sentirebbe meno soli, 2. Se non si capisce cosa si vuole veramente, si vive senza scopi precisi, 3. Si dovrebbe pensare di più e parlare di meno, e allora le cose andrebbero meglio, 4. Se si provasse ad amare più se stessi, forse si riuscirebbe ad essere migliori con gli altri, 5. Si capisce la vera essenza dei problemi solo quando se ne ha un danno diretto, 6. Quando ci si impegna tutti insieme per lo stesso scopo, la fatica risulta minore

4. 1. consolante, 2. scoperta, 3. amante, 4. scotta, 5. appassiti, 6. deprimente

5. 1. Però, 2. sta succedendo, 3. stanno facendo, 4. stavo guardando, 5. stessero andando, 6. Oppure, 7. stava parlando, 8. si stavano effettuando, 9. si stessero dicendo, 10. Invece, 11. ma, 12. mentre, 13. state guardando, 14. sta vivendo

4° Ripasso grammaticale (unità 25-32)

1. 1. furono/vennero utilizzate, 2. vengono/sono riconosciute, 3. vengono/sono menzionate, 4. veniva/era fatto, 5. fu scritto, 6. va ricordato, 7. si comincia, 8. vengono conservate, 9. viene elaborato,

10. si parla

2. 1. da, alla, di, di, 2. da, su, delle, 3. di, a, in, nel, della, alla, 4. al, con, per, in, 5. al, per, 6. Nel, alla, di, in, di

3. 1. si sarebbe ristabilito, 2. mi intendevo, 3. mi sono specializzato, 4. ci siamo persi, ci siamo ritrovati, 5. si preoccupi/si sia preoccupato, 6. si è sviluppata, confrontarsi

4. 1. Scelga, 2. Tenga in mano il libro in modo che il Suo bambino..., 3. Gli chieda, gli domandi, 4. Gli permetta, gli faccia, 5. lasci scegliere i libri da leggere al Suo bambino, 6. Gli rilegga... anche se glielo chiede spesso

5. 1. siamo voluti - *Forma corretta*: abbiamo voluto, 2. siamo dovuti - *f.c.*: abbiamo dovuto, 3. abbiamo salito - *f.c.*: siamo saliti, 4. ho passato - *f.c.*: sono passato, 5. aveva già iniziato - *f.c.*: era già iniziato, 6. era chiuso - *f.c.*: aveva chiuso

6. 1. - a proposito - d, 2. - all'incirca - a, 3. - per sempre - e, 4. - all'improvviso - c, 5. - per l'appunto - b, 6. - proprio - f

7. 1. l', 2. la, 3. lo, 4. la, 5. l', 6. la, 7. la, 8. la

8. 1. Nacquero, 2. che, 3. il che, 4. entrarono, 5. che, 6. Avendo compreso, 7. divennero, 8. del che, 9. essendo, 10. il che, 11. fu/venne costruito, 12. ebbe abbracciato, 13. furono permessi, 14. fece, 15. essendo proibiti, 16. furono/vennero celebrati

9. 1. pubblico: insieme di persone che assistono ad un evento, 3. clientela: insieme di clienti, 4. biblioteca: insieme di libri raccolti nello stesso ambiente, 5. cittadinanza: insieme di cittadini

10. 1. ingiustizia, 2. asociale, 3. sregolato, 4. disorganizzato, 5. discontinuo, 6. irregolare

11. 1. Mi chiese cosa facessi io lì, visto che quel giorno era sabato, 2. Ci domandò se fossimo sicuri di quello che stavamo facendo, 3. Andatevene tutti via!, 4. Mi domandò se mi andava bene che ci vedessimo due giorno dopo, 5. Le chiese se avesse saputo niente, 6. Perché l'hai fatto? 7. Chiese a Giacomo di parlare più forte perché non lo sentiva, 8. Non capisco come le persone possano fidarsi ancora di te